人間失格・桜桃

太宰　治

角川文庫 14732

目次

人間失格　五

桜桃　一五一

注釈　一六三

解説　一六六

太宰治―人と文学　檀一雄　一六六

作品解説　鳥居邦朗　一七七

年譜　一八五

人間失格

はしがき

私は、その男の写真を三葉、見たことがある。

一葉は、その男の、幼年時代、とでも言うべきであろうか、十歳前後かと推定される頃《ころ》の写真であって、その子供が大勢の女のひとに取りかこまれ、（それは、その子供の姉たち、妹たち、それから、従姉妹《いとこ》たちかと想像される）庭園の池のほとりに、荒《あら》い縞《しま》の袴《はかま》をはいて立ち、首を三十度ほど左に傾《かたむ》け、醜《みにく》く笑っている写真である。醜く？　けれども、鈍《にぶ》い人たち（つまり、美醜《びしゆう》などに関心を持たぬ人たち）は、面白《おもしろ》くも何とも無いような顔をして、

「可愛《かわい》い坊《ぼっ》ちゃんですね。」

といい加減なお世辞を言っても、まんざら空《から》お世辞に聞えないくらいの、謂《い》わば通俗《つうぞく》の「可愛らしさ」みたいな影《かげ》もその子供の笑顔《えがお》に無いわけではないのだが、しかし、いささかでも、美醜に就《つ》いての訓練を経て来たひとなら、ひとめ見てすぐ、

「なんて、いやな子供だ。」

と頗《すこぶ》る不快そうに呟《つぶや》き、毛虫でも払《はら》いのける時のような手つきで、その写真をほうり投げるかも知れない。

まったく、その子供の笑顔は、よく見れば見るほど、何とも知れず、イヤな薄気《うすき》味《み》悪いものが感ぜられて来る。どだい、それは、笑顔でない。この子は、少しも笑ってはいないのだ。その証拠《しょうこ》には、この子は、両方のこぶしを固く握《にぎ》って立っている。人間は、こぶしを固く握りながら笑えるものでは無いのである。猿《さる》だ。猿の笑顔だ。ただ、顔に醜い皺《しわ》を寄せているだけなのである。「皺くちゃ坊ちゃん」とでも言いたくなるくらいの、まことに奇妙《きみょう》な、そうして、どこかけがらわしく、へんにひとをムカムカさせる表情の写真であった。私はこれまで、こんな不思議な表情の子供を見た事が、いちども無かった。

第二葉の写真の顔は、これはまた、びっくりするくらいひどく変貌《へんぼう》していた。学生の姿である。高等学校時代の写真か、大学時代の写真か、はっきりしないけれども、とにかく、おそろしく美貌の学生である。しかし、これもまた、不思議にも、生きている人間の感じはしなかった。学生服を着て、胸のポケットから白いハンケチを覗《のぞ》かせ、籐椅子《とういす》に腰《こし》かけて足を組み、そうして、やはり、笑っている。こんどの笑顔は、皺くちゃの猿の笑いでなく、かなり巧《たく》みな微笑《びしょう》になってはいるが、しかし、人間の笑いと、どこやら違《ちが》う。血の重さ、とでも言おうか、生命《いのち》の渋《しぶ》さ、とでもも言おうか、そのような充実《じゅうじつ》感は少しも無く、それこそ、鳥のようではなく、羽毛《うもう》のように軽く、ただ白紙一枚、そうして、笑っている。つまり、一から十まで造り物の感じなのである。キザと言っても足りない。軽薄《けいはく》と言っても足りない。ニヤケと言っても足りない。おしゃれと言っても、もちろん足りない。しかも、よく見ていると、やはりこの美貌の学生にも、どこか怪談《かいだん》じみた気味悪いものが感ぜられて来るのである。私はこれまで、こんな不思議な美貌の青年を見た事が、いちども無かった。

もう一葉の写真は、最も奇怪なものである。まるでもう、としの頃がわからない。頭はいくぶん白髪《しらが》のようである。それが、ひどく汚《きたな》い部屋（部屋の壁《かべ》が三箇所《かしょ》ほど崩《くず》れ落ちているのが、その写真にハッキリ写っている）の片隅《かたすみ》で、小さい火鉢《ひばち》に両手をかざし、こんどは笑っていない。どんな表情も無い。謂わば、坐《すわ》って火鉢に両手をかざしながら、自然に死んでいるような、まことにいまわしい、不吉《ふきつ》なにおいのする写真であった。奇怪なのは、それだけでない。その写真には、わりに顔が大きく写っていたので、私は、つくづくその顔の構造を調べる事が出来たのであるが、額は平凡《へいぼん》、額の皺も平凡、眉《まゆ》も平凡、眼《め》も平凡、鼻も口も顎《あご》も、ああ、この顔には表情が無いばかりか、印象さえ無い。特徴《とくちょう》が無いのだ。たとえば、私がこの写真を見て、眼をつぶる。既《すで》に私はこの顔を忘れている。部屋の壁や、小さい火鉢は思い出す事が出来るけれども、その部屋の主人公の顔の印象は、すっと霧消《むしよう》して、どうしても、何としても思い出せない。画《え》にならない顔である。漫画《まんが》にも何もならない顔である。眼をひらく。あ、こんな顔だったのか、思い出した、というようなよろこびさえ無い。極端《きよくたん》な言い方をすれば、眼をひらいてその写真を再び見ても、思い出せない。そうして、ただもう不愉快《ふゆかい》、イライラして、つい眼をそむけたくなる。所謂《いわゆる》「死相」というものにだって、もっと何か表情なり印象なりがあるものだろうに、人間のからだに駄馬《だば》の首でもくっつけたなら、こんな感じのものになるであろうか、とにかく、どこという事なく、見る者をして、ぞっとさせ、いやな気持にさせるのだ。私はこれまで、こんな不思議な男の顔を見た事が、やはり、いちども無かった。

第一の手記

恥《はじ》の多い生涯《しようがい》を送って来ました。

自分には、人間の生活というものが、見当つかないのです。自分は東北の田舎《いなか》に生れましたので、汽車をはじめて見たのは、よほど大きくなってからでした。自分は停車場のブリッジを、上って、降りて、そうしてそれが線路をまたぎ越《こ》えるために造られたものだという事には全然気づかず、ただそれは停車場の構内を外国の遊《ゆう》戯場《ぎじょう》みたいに、複雑に楽しく、ハイカラにするためにのみ、設備せられてあるものだとばかり思っていました。しかも、かなり永《なが》い間そう思っていたのです。ブリッジの上ったり降りたりは、自分にはむしろ、ずいぶん垢抜《あかぬ》けのした遊戯で、それは鉄道のサーヴィスの中でも、最も気のきいたサーヴィスの一つだと思っていたのですが、のちにそれはただ旅客が線路をまたぎ越えるための頗る実利的な階段に過ぎないのを発見して、にわかに興が覚めました。

また、自分は子供の頃、絵本で地下鉄道というものを見て、これもやはり、実利的な必要から案出せられたものではなく、地上の車に乗るよりは、地下の車に乗ったほうが風《ふう》がわりで面白い遊びだから、とばかり思っていました。

自分は子供の頃から病弱で、よく寝込《ねこ》みましたが、寝ながら、敷布《しきふ》、枕《まくら》のカヴァ、掛蒲団《かけぶとん》のカヴァを、つくづく、つまらない装飾《そうしょく》だと思い、それが案外に実用品だった事を、二十歳ちかくになってわかって、人間のつましさに暗然とし、悲しい思いをしました。

また、自分は、空腹という事を知りませんでした。いや、それは、自分が衣食住に困らない家に育ったという意味ではなく、そんな馬鹿《ばか》な意味ではなく、自分には「空腹」という感覚はどんなものだか、さっぱりわからなかったのです。へんな言いかたですが、おなかが空《す》いていても、自分でそれに気がつかないのです。小学校、中学校、自分が学校から帰って来ると、周囲の人たちが、それ、おなかが空《す》いたろう、自分たちにも覚えがある、学校から帰って来た時の空腹は全くひどいからな、甘納豆《あまなっとう》はどう？　カステラも、パンもあるよ、などと言って騒《さわ》ぎますので、自分は持ち前のおべっか精神を発揮して、おなかが空《す》いた、と呟いて、甘納豆を十粒《つぶ》ばかり口にほうり込むのですが、空腹感とは、どんなものだか、ちっともわかっていやしなかったのです。

自分だって、それは勿論《もちろん》、大いにものを食べますが、しかし、空腹感から、ものを食べた記憶《きおく》は、ほとんどありません。めずらしいと思われたものを食べます。豪《ごう》華《か》と思われたものを食べます。また、よそへ行って出されたものも、無理をしてまで、たいてい食べます。そうして、子供の頃の自分にとって、最も苦痛な時刻は、実に、自分の家の食事の時間でした。

自分の田舎の家では、十人くらいの家族全部、めいめいのお膳《ぜん》を二列に向い合せに並べて、末っ子の自分は、もちろん一ばん下の座でしたが、その食事の部屋は薄暗く、昼ごはんの時など、十幾人《いくにん》の家族が、ただ黙々《もくもく》としてめしを食っている有様には、自分はいつも肌寒《はだざむ》い思いをしました。それに田舎の昔気質《むかしかたぎ》の家でしたので、おかずも、たいていきまっていて、めずらしいもの、豪華なもの、そんなものは望むべくもなかったので、いよいよ自分は食事の時刻を恐怖《きょうふ》しました。自分はその薄暗い部屋の末席に、寒さにがたがた震《ふる》える思いで口にごはんを少量ずつ運び、押し込み、人間は、どうして一日に三度三度ごはんを食べるのだろう、実にみな厳粛《げんしゅく》な顔をして食べている、これも一種の儀式《ぎしき》のようなもので、家族が日に三度三度、時刻をきめて薄暗い一部屋に集り、お膳を順序正しく並べ、食べたくなくても無言でごはんを嚙《か》みながら、うつむき、家中にうごめいている霊《れい》たちに祈《いの》るためのものかもしれない、とさえ考えた事があるくらいでした。

めしを食べなければ死ぬ、という言葉は、自分の耳には、ただイヤなおどかしとしか聞えませんでした。その迷信《めいしん》は、（いまでも自分には、何だか迷信のように思われてならないのですが）しかし、いつも自分に不安と恐怖を与《あた》えました。人間は、めしを食べなければ死ぬから、そのために働いて、めしを食べなければならぬ、という言葉ほど自分にとって難解で晦渋《かいじゅう》で、そうして脅迫《きょうはく》めいた響《ひび》きを感じさせる言葉は、無かったのです。

つまり自分には、人間の営みというものが未《いま》だに何もわかっていない、という事になりそうです。自分の幸福の観念と、世のすべての人たちの幸福の観念とが、まるで食いちがっているような不安、自分はその不安のために夜々、転輾《てんてん》し、呻吟《しんぎん》し、発狂《はっきょう》しかけた事さえあります。自分は、いったい幸福なのでしょうか。自分は小さい時から、実にしばしば、仕合せ者だと人に言われて来ましたが、自分ではいつも地獄《じごく》の思いで、かえって、自分を仕合せ者だと言ったひとたちのほうが、比較《ひかく》にも何もならぬくらいずっとずっと安楽なように自分には見えるのです。

自分には、禍《わざわ》いのかたまりが十個あって、その中の一個でも、隣人《りんじん》が脊負《せお》ったら、その一個だけでも充分《じゅうぶん》に隣人の生命《いのち》取りになるのではあるまいかと、思った事さえありました。

つまり、わからないのです。隣人の苦しみの性質、程度が、まるで見当つかないのです。プラクテカル*な苦しみ、ただ、めしを食えたらそれで解決できる苦しみ、しかし、それこそ最も強い痛苦で、自分の例の十個の禍いなど、吹《ふ》っ飛んでしまう程《ほど》の、凄惨《せいさん》な阿鼻《あび》地獄*なのかも知れない、それは、わからない、しかし、それにしては、よく自殺もせず、発狂もせず、政党を論じ、絶望せず、屈《くっ》せず生活のたたかいを続けて行ける、苦しくないんじゃないか？　エゴイストになりきって、しかもそれを当然の事と確信し、いちども自分を疑った事が無いんじゃないか？　それなら、楽だ、しかし、人間というものは、皆《みな》そんなもので、またそれで満点なのではないかしら、わからない、……夜はぐっすり眠《ねむ》り、朝は爽快《そうかい》なのかしら、どんな夢を見ているのだろう、道を歩きながら何を考えているのだろう、金？　まさか、それだけでも無いだろう、人間は、めしを食うために生きているのだ、という説は聞いた事があるような気がするけれども、金のために生きている、という言葉は、耳にした事が無い、いや、しかし、ことに依《よ》ると、……いや、それもわからない、……考えれば考えるほど、自分には、わからなくなり、自分ひとり全く変っているような、不安と恐怖に襲《おそ》われるばかりなのです。自分は隣人と、ほとんど会話が出来ません。何を、どう言ったらいいのか、わからないのです。

そこで考え出したのは、道化でした。

それは、自分の、人間に対する最後の求愛でした。自分は、人間を極度に恐《おそ》れていながら、それでいて、人間を、どうしても思い切れなかったらしいのです。そうして自分は、この道化の一線でわずかに人間につながる事が出来たのでした。おもてでは、絶えず笑顔《えがお》をつくりながらも、内心は必死の、それこそ千番に一番の兼《か》ね合いとでもいうべき危機《きき》一髪《いっぱつ》の、油汗《あぶらあせ》流してのサーヴィスでした。

自分は子供の頃《ころ》から、自分の家族の者たちに対してさえ、彼等《かれら》がどんなに苦しく、またどんな事を考えて生きているのか、まるでちっとも見当つかず、ただおそろしく、その気まずさに堪《た》える事が出来ず、既《すで》に道化の上手になっていました。つまり、自分は、いつのまにやら、一言も本当の事を言わない子になっていたのです。

その頃の、家族たちと一緒《いっしょ》にうつした写真などを見ると、他の者たちは皆まじめな顔をしているのに、自分ひとり、必ず奇妙《きみょう》に顔をゆがめて笑っているのです。これもまた、自分の幼く悲しい道化の一種でした。

また自分は、肉親たちに何か言われて、口応《くちごた》えした事はいちども有りませんでした。そのわずかなおこごとは、自分には霹靂《へきれき》*の如《ごと》く強く感ぜられ、狂《くる》うみたいになり、口応えどころか、そのおこごとこそ、謂《い》わば万世一系《ばんせいいっけい》の人間の「真理」とかいうものに違《ちが》いない、自分にはその真理を行う力が無いのだから、もはや人間と一緒に住めないのではないかしら、と思い込んでしまうのでした。だから自分には、言い争いも自己弁解も出来ないのでした。人から悪く言われると、いかにも、もっとも、自分がひどい思い違いをしているような気がして来て、いつもその攻撃《こうげき》を黙して受け、内心、狂うほどの恐怖を感じました。

それは誰《だれ》でも、人から非難せられたり、怒《おこ》られたりしていい気持がするものでは無いかも知れませんが、自分は怒っている人間の顔に、獅子《しし》よりも鰐《わに》よりも龍《りゅう》よりも、もっとおそろしい動物の本性《ほんしょう》を見るのです。ふだんは、その本性をかくしているようですけれども、何かの機会に、たとえば、牛が草原でおっとりした形で寝ていて、突如《とつじょ》、尻尾《しっぽ》でピシッと腹の虻《あぶ》を打ち殺すみたいに、不意に人間のおそろしい正体を、怒《いか》りに依って暴露《ばくろ》する様子を見て、自分はいつも髪《かみ》の逆立つほどの戦慄《せんりつ》を覚え、この本性もまた人間の生きて行く資格の一つなのかも知れないと思えば、ほとんど自分に絶望を感じるのでした。

人間に対して、いつも恐怖に震いおののき、また、人間としての自分の言動に、みじんも自信を持てず、そうして自分ひとりの懊悩《おうのう》は胸の中の小箱に秘め、その憂鬱《ゆううつ》、ナアヴァスネス*を、ひたかくしに隠《かく》して、ひたすら無邪気《むじゃき》の楽天性を装《よそお》い、自分はお道化《どけ》たお変人として、次第《しだい》に完成されて行きました。

何でもいいから、笑わせておればいいのだ、そうすると、人間たちは、自分が彼等の所謂《いわゆる》「生活」の外にいても、あまりそれを気にしないのではないかしら、とにかく、彼等人間たちの目障《めざわ》りになってはいけない、自分は無だ、風だ、空《そら》だ、というような思いばかりが募り、自分はお道化に依って家族を笑わせ、また、家族よりも、もっと不可解でおそろしい下男や下女にまで、必死のお道化のサーヴィスをしたのです。

自分は夏に、浴衣《ゆかた》の下に赤い毛糸のセエターを着て廊下《ろうか》を歩き、家中の者を笑わせました。めったに笑わない長兄《ちょうけい》も、それを見て噴《ふ》き出し、

「それあ、葉ちゃん、似合わない。」

と、可愛《かわい》くてたまらないような口調で言いました。なに、自分だって、真夏に毛糸のセエターを着て歩くほど、いくら何でも、そんな、暑さ寒さを知らぬお変人ではありません。姉の脚絆《レギンス》を両腕《りょううで》にはめて、浴衣の袖口《そでぐち》から覗《のぞ》かせ、以《もっ》てセエターを着ているように見せかけていたのです。

自分の父は、東京に用事の多いひとでしたので、上野《うえの》の桜木町《さくらぎちょう》に別荘《べっそう》を持っていて、月の大半は東京のその別荘で暮していました。そうして帰る時には家族の者たち、また親戚《しんせき》の者たちにまで、実におびただしくお土産《みやげ》を買って来るのが、まあ、父の趣味《しゅみ》みたいなものでした。

いつかの父の上京の前夜、父は子供たちを客間に集め、こんど帰る時には、どんなお土産がいいか、一人一人に笑いながら尋《たず》ね、それに対する子供たちの答をいちいち手帖《てちょう》に書きとめるのでした。父が、こんなに子供たちと親しくするのは、めずらしい事でした。

「葉蔵は？」

と聞かれて、自分は、口ごもってしまいました。

何が欲《ほ》しいと聞かれると、とたんに、何も欲しくなくなるのでした。どうでもいい、どうせ自分を楽しくさせてくれるものなんか無いんだという思いが、ちらと動くのです。と、同時に、人から与えられるものを、どんなに自分の好みに合わなくても、それを拒《こば》む事も出来ませんでした。イヤな事を、イヤと言えず、また、好きな事も、おずおずと盗《ぬす》むように、極《きわ》めてにがく味い、そうして言い知れぬ恐怖感《きょうふ》に もだえるのでした。つまり、自分には、二者選一の力さえ無かったのです。これが、後年に到《いた》り、いよいよ自分の所謂「恥《はじ》の多い生涯《しょうがい》」の、重大な原因ともなる性癖《せいへき》の一つだったように思われます。

自分が黙《だま》って、もじもじしているので、父はちょっと不機嫌《ふきげん》な顔になり、

「やはり、本《ほん》か。浅草《あさくさ》の仲店《なかみせ》にお正月の獅子舞《ま》いのお獅子、子供がかぶって遊ぶのには手頃な大きさのが売っていたけど、欲しくないか。」

欲しくないか、と言われると、もうダメなんです。お道化た返事も何も出来やしないんです。お道化役者は、完全に落第でした。

「本《ほん》が、いいでしょう。」

長兄は、まじめな顔をして言いました。

「そうか。」

父は、興覚め顔に手帖に書きとめもせず、パチと手帖を閉じました。

何という失敗、自分は父を怒らせた、父の復讐《ふくしゅう》は、きっと、おそるべきものに違いない、いまのうちに何とかして取りかえしのつかぬものか、とその夜、蒲団《ふとん》の中でがたがた震《ふる》えながら考え、そっと起きて客間に行き、父が先刻、手帖をしまい込んだ筈《はず》の机の引き出しをあけて、手帖を取り上げ、パラパラめくって、お土産の注文記入の個所《かしょ》を見つけ、手帖の鉛筆をなめて、シシマイ、と書いて寝《ね》ました。自分はその獅子舞いのお獅子を、ちっとも欲しくは無かったのです。かえって、本《ほん》のほうがいいくらいでした。けれども、自分は、父がそのお獅子を自分に買って与《あた》えた

いのだという事に気がつき、父のその意向に迎合《げいごう》して、父の機嫌を直したいばかりに、深夜、客間に忍《しの》び込むという冒険《ぼうけん》を、敢《あ》えておかしたのでした。そうして、この自分の非常の手段は、果して思いどおりの大成功を以て報《むく》いられました。やがて、父は東京から帰って来て、母に大声で言っているのを、自分は子供部屋で聞いていました。

「仲店のおもちゃ屋で、この手帖を開いてみたら、これ、ここに、シシマイ、と書いてある。これは、私の字ではない。はてな？と首をかしげて、思い当りました。これは、葉蔵のいたずらですよ。あいつは、私が聞いた時には、にやにやして黙っていたが、あとで、どうしてもお獅子が欲しくてたまらなくなったんだね。何せ、どうも、あれは、変った坊主《ぼうず》ですからね。知らん振《ふ》りして、ちゃんと書いている。そんなに欲しかったのなら、そう言えばよいのに。私は、おもちゃ屋の店先で笑いましたよ。葉蔵を早くここへ呼びなさい。」

また一方、自分は、下男や下女たちを洋室に集めて、下男のひとりに滅茶苦茶《めちゃくちゃ》にピアノのキイをたたかせ、（田舎《いなか》ではありましたが、その家には、たいていのものが、そろっていました）自分はその出鱈目《でたらめ》の曲に合せて、インデヤンの踊《おど》りを踊って見せて、皆《みな》を大笑いさせました。次兄は、フラッシュを焚《た》いて、自分のインデヤン踊りを撮影《さつえい》して、その写真が出来たのを見ると、自分の腰布《こしぬの》（それは更紗《さらさ》の風呂《ふろ》敷《しき》でした）の合せ目から、小さいおチンポが見えていたので、これがまた家中の大笑いでした。自分にとって、これまた意外の成功というべきものだったかも知れません。

自分は毎月、新刊の少年雑誌を十冊以上も、とっていて、またその他《ほか》にも、さまざまの本を東京から取り寄せて黙って読んでいましたので、メチャラクチャラ博士《はかせ》だの、また、ナンジャモンジャ博士などとは、たいへんな馴染《なじみ》で、また、怪談《かいだん》、講談、落語、江戸《えど》小咄《こばなし》などの類にも、かなり通じていましたから、剽軽《ひょうきん》な事をまじめな顔をして言って、家の者たちを笑わせるのには事を欠きませんでした。

しかし、嗚呼《ああ》、学校！

自分は、そこでは、尊敬されかけていたのです。尊敬されるという観念もまた、甚《はなは》だ自分を、おびえさせました。ほとんど完全に近く人をだまして、そうして、或《あ》るひとりの全知全能の者に見破られ、木《こ》っ葉《ぱ》みじんにやられて、死ぬる以上の赤恥をかかせられる、それが、「尊敬される」という状態の自分の定義でありました。人間をだまして、「尊敬され」ても、誰かひとりが知っている、そうして、人間たちも、やがて、そのひとりから教えられて、だまされた事に気づいた時、その時の人間たちの怒り、復讐は、いったい、まあ、どんなでしょうか。想像してさえ、身の毛がよだつ心地《ここち》がするのです。

自分は、金持ちの家に生れたという事よりも、俗《ぞく》にいう「できる」事に依《よ》って、学校中の尊敬を得そうになりました。自分は、子供の頃《ころ》から病弱で、よく一つき二つき、また一学年ちかくも寝込んで学校を休んだ事さえあったのですが、それでも、病《や》み上りのからだで人力車に乗って学校へ行き、学年末の試験を受けてみると、クラスの誰《だれ》よりも所謂「できて」いるようでした。からだ具合いのよい時でも、自分は、さっぱり勉強せず、学校へ行っても授業時間に漫画《まんが》などを書き、休憩《きゆうけい》時間にはそれをクラスの者たちに説明して聞かせて、笑わせてやりました。また、綴《つづ》り方には、滑稽噺《こっけいばなし》ばかり書き、先生から注意されても、しかし、自分は、やめませんでした。先生は、実はこっそり自分のその滑稽噺を楽しみにしている事を自分は、知っていたからでした。或る日、自分は、れいに依って、自分が母に連れられて上京の途中《とちゆう》の汽車で、おしっこを客車の通路にある痰壺《たんつぼ》にしてしまった失敗談（しかし、その上京の時に、自分は痰壺と知らずにしたのではありませんでした。子供の無邪気をてらって、わざと、そうしたのでした）を、ことさらに悲しそうな筆致《ひつち》で書いて提出し、先生は、きっと笑うという自信がありましたので、職員室に引き揚《あ》げて行く先生のあとを、そっとつけて行きましたら、先生は、教室を出るとすぐ、自分のその綴り方を、他のクラスの者たちの綴り方の中から選び出し、廊下を歩きながら読みはじめて、クスクス笑い、やがて職員室にはいって読み終えたのか、顔を真赤にして大声を挙《あ》げて笑い、他の先生に、さっそくそれを読ませているのを見とどけ、自分は、たいへん満足でした。

お茶目。

自分は、所謂《いわゆる》お茶目に見られる事に成功しました。尊敬される事から、のがれる事に成功しました。通信簿《つうしんぼ》は全学科とも十点でしたが、操行《そうこう》というものだけは、七点だったり、六点だったりして、それもまた家中の大笑いの種でした。

けれども自分の本性は、そんなお茶目さんなどとは、凡《およ》そ対蹠的《たいせきてき》なものでした。その頃、既《すで》に自分は、女中や下男から、哀《かな》しい事を教えられ、犯《おか》されていました。幼少の者に対して、そのような事を行うのは、人間の行い得《う》る犯罪の中で最も醜悪《しゅうあく》で下等で、残酷《ざんこく》な犯罪だと、自分はいまでは思っています。しかし、自分は、忍びました。これでまた一つ、人間の特質を見たというような気持さえして、そうして、力無く笑っていました。もし自分に、本当の事を言う習慣がついていたなら、悪びれず、彼等《かれら》の犯罪を父や母に訴《うった》える事が出来たのかも知れませんが、しかし、自分は、その父や母をも全部は理解する事が出来なかったのです。人間に訴える、自分は、その手段には少しも期待できませんでした。父に訴えても、母に訴えても、お巡《まわ》りに訴えても、政府に訴えても、結局は世渡《よわた》りに強い人の、世間に通りのいい言いぶんに言いまくられるだけの事では無いかしら。

必ず片手落のあるのが、わかり切っている、所詮《しょせん》、人間に訴えるのは無駄《むだ》である、自分はやはり、本当の事は何も言わず、忍んで、そうしてお道化をつづけているより他、無い気持なのでした。

なんだ、人間への不信を言っているのか？　へえ？　お前はいつクリスチャンになったんだい、と嘲笑《ちょうしょう》する人も或《あ》るいはあるかも知れませんが、しかし、人間への不信は、必ずしもすぐに宗教の道に通じているとは限らないと、自分には思われるのですけど。現にその嘲笑する人をも含めて、人間は、お互いの不信の中で、エホバも何も念頭に置かず、平気で生きているではありませんか。やはり、自分の幼少の頃の事でありましたが、父の属していた或《あ》る政党の有名人が、この町に演説に来て、自分は下男たちに連れられて劇場に聞きに行きました。満員で、そうして、この町の特に父と親しくしている人たちの顔は皆、見えて、大いに拍手《はくしゅ》などしていました。演説がすんで、聴衆《ちょうしゅう》は雪の夜道を三々五々かたまって家路に就《つ》き、クソミソに今夜の演説会の悪口を言っているのでした。中には、父と特に親しい人の声もまじっていました。父の開会の辞も下手、れいの有名人の演説も何が何やら、わけがわからぬ、とその所謂父の「同志たち」が怒声《どせい》に似た口調で言っているのです。そうしてそのひとたちは、自分の家に立ち寄って客間に上り込み、今夜の演説会は大成功だったと、しんから嬉《うれ》しそうな顔をして父に言っていました。下男たちまで、今夜の演説会はどうだったと母に聞かれ、とても面白《おもしろ》かった、と言ってけろりとしているのです。演説会ほど面白くないものはない、と帰る途々《みちみち》、下男たちが嘆《なげ》き合っていたのです。

しかし、こんなのは、ほんのささやかな一例に過ぎません。互《たが》いにあざむき合って、しかもいずれも不思議に何の傷もつかず、あざむき合っている事にさえ気がついていないみたいな、実にあざやかな、それこそ清く明るくほがらかな不信の例が、人間の生活に充満《じゅうまん》しているように思われます。けれども、自分には、あざむき合っているという事には、さして特別の興味もありません。自分だって、お道化に依って、朝から晩まで人間をあざむいているのです。自分は、修身教科書的な正義とか何とかいう道徳には、あまり関心を持てないのです。自分には、あざむき合っていながら、清く明るく朗らかに生きている、或いは生き得《う》る自信を持っているみたいな人間が難解なのです。人間は、ついに自分にその妙諦《みょうてい》*を教えてはくれませんでした。それさえわかったら、自分は、人間をこんなに恐怖《きょうふ》し、また、必死のサーヴィスなどしなくて、すんだのでしょう。人間の生活と対立してしまって、夜々の地獄《じごく》のこれほどの苦しみを嘗《な》めずにすんだのでしょう。つまり、自分が下男下女たちの憎《にく》むべきあの犯罪をさえ、誰にも訴えなかったのは、人間への不信からではなく、また勿論《もちろん》クリスト主義のためでもなく、人間が、葉蔵という自分に対して信用の殻《から》を固く閉じていたからだったと思います。父母でさえ、自分にとって難解なものを、時折、見せる事があったのですから。

そうして、その、誰にも訴えない、自分の孤独《こどく》の匂《にお》いが、多くの女性に、本能に依って嗅《か》ぎ当てられ、後年さまざま、自分がつけ込まれる誘因《ゆういん》の一つになったような気もするのです。

つまり、自分は、女性にとって、恋《こい》の秘密を守れる男であったというわけなのでした。

第二の手記

海の、波打際《なみうちぎわ》、といってもいいくらいに海にちかい岸辺に、真黒い樹肌《きはだ》の山桜の、かなり大きいのが二十本以上も立ちならび、新学年がはじまると、山桜は、褐色《かっしょく》のねばっこいような嫩葉《わかば》と共に、青い海を背景にして、その絢爛《けんらん》たる花をひらき、やがて、花吹雪《はなふぶき》の時には、花びらがおびただしく海に散り込み、海面を鏤《ちりば》めて漂《ただよ》い、波に乗せられ再び波打際に打ちかえされる、その桜の砂浜が、そのまま校庭として使用せられている東北の或る中学校に、自分は受験勉強もろくにしなかったのに、どうやら無事に入学できました。そうして、その中学の制帽《せいぼう》の徽章《きしょう》にも、制服のボタンにも、桜の花が図案化せられて咲《さ》いていました。

その中学校のすぐ近くに、自分の家と遠い親戚《しんせき》に当る者の家がありましたので、その理由もあって、父がその海と桜の中学校を自分に選んでくれたのでした。自分は、その家にあずけられ、何せ学校のすぐ近くなので、朝礼の鐘《かね》の鳴るのを聞いてから、走って登校するというような、かなり怠惰《たいだ》な中学生でしたが、それでも、れいのお道化に依って、日一日とクラスの人気を得ていました。

生れてはじめて、謂《い》わば他郷へ出たわけなのですが、自分には、その他郷のほうが、自分の生れ故郷よりも、ずっと気楽な場所のように思われました。それは、自分のお道化もその頃にはいよいよぴったり身について来て、人をあざむくのに以前ほどの苦労を必要としなくなっていたからである、と解説してもいいでしょうが、しかし、それよりも、肉親と他人、故郷と他郷、そこには抜《ぬ》くべからざる演技の難易の差が、どのような天才にとっても、たとい神の子のイエスにとっても、存在しているものなのではないでしょうか。俳優にとって、最も演じにくい場所は、故郷の劇場であって、しかも六親眷属《ろくしんけんぞく》*全部そろって坐《すわ》っている一部屋の中に在《あ》っては、いかな名優も演技どころでは無くなるのではないでしょうか。けれども自分は演じて来ました。しかも、それが、かなりの成功を収めたのです。それほどの曲者《くせもの》が、他郷に出て、万が一にも演じ損《そこ》ねるなどという事は無いわけでした。

自分の人間恐怖は、それは以前にまさるとも劣《おと》らぬくらい烈《はげ》しく胸の底で蠕動《ぜんどう》していましたが、しかし、演技は実にのびのびとして来て、教室にあっては、いつもクラスの者たちを笑わせ、教師も、このクラスは大庭《おおば》さえいないと、とてもいいクラスなんだが、と言葉では嘆《たん》じながら、手で口を覆《おお》って笑っていました。自分は、あの雷《かみなり》の如《ごと》き蛮声《ばんせい》を張り上げる配属将校をさえ、実に容易に噴《ふ》き出させる事が出来たのです。

もはや、自分の正体を完全に隠蔽《いんぺい》し得たのではあるまいか、とほっとしかけた矢先に、自分は実に意外にも背後から突《つ》き刺《さ》されました。それは、背後から突き刺す男のごたぶんにもれず、クラスで最も貧弱《ひんじゃく》な肉体をして、顔も青ぶくれで、そうしてたしかに父兄《ふけい》のお古と思われる袖《そで》が聖徳太子《しょうとくたいし》の袖みたいに長すぎる上衣《うわぎ》を着て、学課は少しも出来ず、教練や体操はいつも見学という白痴《はくち》に似た生徒でした。自分もさすがに、その生徒にさえ警戒する必要は認めていなかったのでした。

その日、体操の時間に、その生徒（姓《せい》はいま記憶《きおく》していませんが、名は竹一といったかと覚えています）その竹一は、れいに依《よ》って見学、自分たちは鉄棒の練習をさせられていました。自分は、わざと出来るだけ厳粛《げんしゅく》な顔をして、鉄棒めがけて、えいっと叫《さけ》んで飛び、そのまま幅飛《はばと》びのように前方へ飛んでしまって、砂地にドスンと尻餅《しりもち》をつきました。すべて、計画的な失敗でした。果して皆《みな》の大笑いになり、自分も苦笑《くしょう》しながら起き上ってズボンの砂を払《はら》っていると、いつそこへ来ていたのか、竹一が自分の背中をつつき、低い声でこう囁《ささや》きました。

「ワザ。ワザ。」

自分は震撼《しんかん》しました。ワザと失敗したという事を、人もあろうに、竹一に見破られるとは全く思いも掛《か》けない事でした。自分は、世界が一瞬《いっしゅん》にして地獄の業火《ごうか》に包まれて燃え上るのを眼前に見るような心地《ここち》がして、わあっ！　と叫《さけ》んで発狂《はっきょう》しそうな気配を必死の力で抑《おさ》えました。

それからの日々の、自分の不安と恐怖。

表面は相変らず哀《かな》しいお道化を演じて皆を笑わせていましたが、ふっと思わず重苦しい溜息《ためいき》が出て、何をしたってすべて竹一に木《こ》っ葉《ぱ》みじんに見破られていて、そうしてあれは、そのうちにきっと誰《だれ》かれとなく、それを言いふらして歩くに違《ちが》いないのだ、と考えると、額にじっとり油汗《あぶらあせ》がわいて来て、狂人みたいに妙《みょう》な眼《め》つきで、あたりをキョロキョロむなしく見廻《みまわ》したりしました。できる事なら、朝、昼、晩、四六時中、竹一の傍《そば》から離《はな》れず彼が秘密を口走らないように監視《かんし》していたい気持でした。そうして、自分が、彼にまつわりついている間に、自分のお道化は、所謂《いわゆる》「ワザ」では無くて、ほんものであったというよう思い込ませるようにあらゆる努力を払い、あわよくば、彼と無二の親友になってしまいたいものだ、もし、その事が皆、不可能なら、もはや、彼の死を祈《いの》るより他は無い、とさえ思いつめました。しかし、さすがに、彼を殺そうという気だけは起りませんでした。自分は、これまでの生涯《しょうがい》に於《お》いて、人に殺されたいと願望した事は幾度《いくど》となくありましたが、人を殺したいと思った事は、いちどもありませんでした。それは、おそるべき相手に、かえって幸福を与《あた》えるだけの事だと考えていたからです。

自分は、彼を手なずけるため、まず、顔に偽《にせ》クリスチャンのような「優《やさ》しい」媚《び》笑《しょう》を湛《たた》え、首を三十度くらい左に曲げて、彼の小さい肩を軽く抱《だ》き、そうして猫撫《ねこな》で声に似た甘ったるい声で、彼を自分の寄宿している家に遊びに来るようしばしば誘《さそ》いましたが、彼は、いつも、ぼんやりした眼つきをして、黙《だま》っていました。しかし、自分は、或《あ》る日の放課後、たしか初夏の頃《ころ》の事でした、夕立ちが白く降って、生徒たちは帰宅に困っていたようでしたが、自分は家がすぐ近くなので平気で外へ飛び出そうとして、ふと下駄箱《げたばこ》のかげに、竹一がしょんぼり立っているのを見つけ、行こう、傘《かさ》を貸してあげる、と言い、臆《おく》する竹一の手を引っぱって、一緒《いっしょ》に夕立ちの中を走り、家に着いて、二人の上衣を小母《おば》さんに乾《かわ》かしてもらうようにたのみ、竹一を二階の自分の部屋に誘い込むのに成功しました。

その家には、五十すぎの小母さんと、三十くらいの、眼鏡《めがね》をかけて、病身らしい背の高い姉娘《むすめ》(この娘は、いちどよそへお嫁《よめ》に行って、それからまた、家へ帰っているひとでした。自分は、このひとを、ここの家のひとたちにならって、アネサと呼んでいました）それと、最近女学校を卒業したばかりらしい、セッちゃんという姉に似ず背が低く丸顔の妹娘と、三人だけの家族で、下の店には、文房具《ぶんぼうぐ》やら運動用具を少々並べていましたが、主な収入は、なくなった主人が建てて残して行った五六棟《むね》の長屋の家賃のようでした。

「耳が痛い。」

竹一は、立ったままでそう言いました。

「雨に濡《ぬ》れたら、痛くなったよ。」

自分が、見てみると、両方の耳が、ひどい耳だれでした。膿《うみ》が、いまにも耳殻《じかく》の外に流れ出ようとしていました。

「これは、いけない。痛いだろう。」

と自分は大袈裟《おおげさ》におどろいて見せて、

「雨の中を、引っぱり出したりして、ごめんね。」

と女の言葉みたいな言葉を遣《つか》って「優しく」謝り、それから、下へ行って綿とアルコールをもらって来て、竹一を自分の膝《ひざ》を枕《まくら》にして寝《ね》かせ、念入りに耳の掃除《そうじ》をしてやりました。竹一も、さすがに、これが偽善《ぎぜん》の悪計であることには気附《きづ》かなかったようで、

「お前は、きっと、女に惚《ほ》れられるよ。」

と自分の膝枕で寝ながら、無智《むち》なお世辞を言ったくらいでした。

しかしこれは、おそらく、あの竹一も意識しなかったほどの、おそろしい悪魔《あくま》の予言のようなものだったという事を、自分は後年に到《いた》って思い知りました。惚れると言い、惚れられると言い、その言葉はひどく下品で、ふざけて、いかにも、やにさがったものの感じで、どんなに所謂「厳粛《げんしゅく》」の場であっても、そこへこの言葉が一言でもひょいと顔を出すと、みるみる憂鬱《ゆううつ》の伽藍《がらん》が崩壊《ほうかい》し、ただのっぺらぼうになってしまうような心地がするものですけれども、惚れられるつらさ、などという俗語《ぞくご》でなく、愛せられる不安、とでもいう文学語を用いると、あながち憂鬱の伽藍をぶちこわす事にはならないようですから、奇妙《きみょう》なものだと思います。

竹一が、自分に耳だれの膿の仕末をしてもらって、お前は惚れられるという馬鹿《ばか》なお世辞を言い、自分はその時、ただ顔を赤らめて笑って、何も答えませんでしたけれども、しかし、実は、幽《かす》かに思い当るところもあったのでした。でも、「惚れられる」というような野卑《やひ》な言葉に依って生じるやにさがった雰囲気《ふんいき》に対して、そう言われると、思い当るところもある、などと書くのは、ほとんど落語の若旦那《わかだんな》のせりふにさえならぬくらい、おろかしい感懐《かんかい》を示すようなもので、まさか、自分は、そんなふざけた、やにさがった気持で、「思い当るところもあった」わけでは無いのです。

自分には、人間の女性のほうが、男性よりもさらに数倍難解でした。自分の家族は、女性のほうが男性よりも数が多く、また親戚《しんせき》にも、女の子がたくさんあり、またれいの「犯罪」の女中などもいまして、自分は幼い時から、女とばかり遊んで育ったといっても過言ではないと思っていますが、それは、また、しかし、実に、薄氷《はくひょう》を踏《ふ》む思いで、その女のひとたちと附合って来たのです。ほとんど、まるで見当が、つかないのです。五里霧中《ごりむちゅう》で、そうして時たま、虎《とら》の尾《お》を踏む失敗をして、ひどい痛手を負い、それがまた、男性から受ける笞《むち》とちがって、内出血みたいに極度に不快に内攻《ないこう》して、なかなか治癒《ちゆ》し難《がた》い傷でした。

女は引き寄せて、つっ放す、或《ある》いはまた、女は、人のいるところでは自分をさげすみ、邪慳《じゃけん》にし、誰もいなくなると、ひしと抱《だ》きしめる、女は死んだように深く眠《ねむ》る、女は眠るために生きているのではないかしら、その他《ほか》、女に就《つ》いてのさまざまの観察を、すでに自分は、幼年時代から得ていたのですが、同じ人類のようでありながら、男とはまた、全く異った生きもののような感じで、そうしてまた、この不可解で油断のならぬ生きものは、奇妙に自分をかまうのでした。「惚れられる」なんていう言葉も、また「好かれる」という言葉も、自分の場合にはちっとも、ふさわしくなく、「かまわれる」とでも言ったほうが、まだしも実状の説明に適しているかも知れません。

女は、男よりも更《さら》に、道化には、くつろぐようでした。自分がお道化を演じ、男はさすがにいつまでもゲラゲラ笑ってもいませんし、それに自分も男のひとに対し、調子に乗ってあまりお道化を演じすぎると失敗するという事を知っていましたので、必ず適当のところで切り上げるように心掛けていましたが、女は適度という事を知らず、いつまでもいつまでも、自分にお道化を要求し、自分はその限りないアンコールに応じて、へとへとになるのでした。実に、よく笑うのです。いったいに、女は、男よりも快楽をよけいに頬張《ほおば》る事が出来るようです。

自分が中学時代に世話になったその家の姉娘も、妹娘も、ひまさえあれば、二階の自分の部屋にやって来て、自分はその度毎《たびごと》に飛び上らんばかりにぎょっとして、そうして、ひたすらおびえ、

「御《お》勉強?」

「いいえ。」

と微笑《びしよう》して本を閉じ、

「きょうね、学校でね、コンボウという地理の先生がね、」

とするする口から流れ出るものは、心にも無い滑稽噺《こつけいばなし》でした。

「葉ちゃん、眼鏡をかけてごらん。」

或る晩、妹娘のセッちゃんが、アネサと一緒に自分の部屋へ遊びに来て、さんざん自分にお道化を演じさせた揚句《あげく》の果に、そんな事を言い出しました。

「なぜ？」

「いいから、かけてごらん。アネサの眼鏡を借りなさい。」

いつでも、こんな乱暴な命令口調で言うのでした。道化師は、素直《すなお》にアネサの眼鏡をかけました。とたんに、二人の娘は、笑いころげました。

「そっくり。ロイドに、そっくり。」

当時、ハロルド・ロイドとかいう外国の映画の喜劇役者が、日本で人気がありました。

自分は立って片手を挙《あ》げ、

「諸君、」

と言い、

「このたび、日本のファンの皆様《みなさま》がたに、……」

と一場の挨拶《あいさつ》を試み、さらに大笑いさせて、それから、ロイドの映画がそのまちの劇場に来るたび毎に見に行って、ひそかに彼の表情などを研究しました。

また、或る秋の夜、自分が寝ながら本を読んでいると、アネサが鳥のように素早く部屋へはいって来て、いきなり自分の掛蒲団《かけぶとん》の上に倒《たお》れて泣き、

「葉ちゃんが、あたしを助けてくれるのだわね。そうだわね。こんな家、一緒《いっしょ》に出てしまったほうがいいのだわ。助けてね。助けて。」

などと、はげしい事を口走っては、また泣くのでした。けれども、自分には、女から、こんな態度を見せつけられるのは、これが最初ではありませんでしたので、アネサの過激な言葉にも、さして驚《おどろ》かず、かえってその陳腐《ちんぷ》、無内容に興が覚めた心地《ここち》で、そっと蒲団から脱《ぬ》け出し、机の上の柿《かき》をむいて、その一きれをアネサに手渡《てわた》してやりました。すると、アネサは、しゃくり上げながらその柿を食べ、

「何か面白《おもしろ》い本が無い？　貸してよ。」

と言いました。

自分は漱石《そうせき》の「吾輩《わがはい》は猫《ねこ》である」という本を、本棚《ほんだな》から選んであげました。

「ごちそうさま。」

アネサは、恥《は》ずかしそうに笑って部屋から出て行きましたが、このアネサに限らず、いったい女は、どんな気持で生きているのかを考える事は、自分にとって、蚯蚓《みみず》の思いをさぐるよりも、ややこしく、わずらわしく、薄気味《うすきみ》の悪いものに感ぜられていました。ただ、自分は、女があんなに急に泣き出したりした場合、何か甘いものを手渡してやると、それを食べて機嫌《きげん》を直すという事だけは、幼い時から、自分の経験に依《よ》って知っていました。

また、妹娘《むすめ》のセッちゃんは、その友だちまで自分の部屋に連れて来て、自分がれいに依って公平に皆を笑わせ、友だちが帰ると、セッちゃんは、必ずその友だちの悪口を言うのでした。あのひとは不良少女だから、気をつけるように、ときまって言うのでした。そんなら、わざわざ連れて来なければ、よいのに、おかげで自分の部屋の来客の、ほとんど全部が女、という事になってしまいました。

しかし、それは、竹一のお世辞の「惚れられる」事の実現では未《ま》だ決して無かったのでした。つまり、自分は、日本の東北のハロルド・ロイドに過ぎなかったのです。竹一の無智なお世辞が、いまわしい予言として、なまなまと生きて来て、不吉な形貌《けいぼう》を呈《てい》するようになったのは、更にそれから、数年経《た》った後の事でありました。

竹一は、また、自分にもう一つ、重大な贈《おく》り物をしていました。

「お化けの絵だよ。」

いつか竹一が、自分の二階へ遊びに来た時、ご持参の、一枚の原色版の口絵を得意そうに自分に見せて、そう説明しました。

おや？　と思いました。その瞬間《しゅんかん》、自分の落ち行く道が決定せられたように、後年に到って、そんな気がしてなりません。自分は、知っていました。それは、ゴッホの例の自画像に過ぎないのを知っていました。自分たちの少年の頃《ころ》には、日本ではフランスの所謂印象派の画《え》が大流行していて、洋画鑑賞《かんしょう》の第一歩を、たいていこのあたりからはじめたもので、ゴッホ、ゴーギャン、セザンヌ、ルナアルなどというひとの絵は、田舎《いなか》の中学生でも、たいていその写真版を見て知っていたのでした。自分なども、ゴッホの原色版をかなりたくさん見て、タッチの面白さ、色彩の鮮《あざ》やかさに興趣《きょうしゅ》を覚えてはいたのですが、しかし、お化けの絵、だとは、いちども考えた事が無かったのでした。

「では、こんなのは、どうかしら。やっぱり、お化けかしら。」

自分は本棚から、モジリアニの画集を出し、焼けた赤銅《しゃくどう》のような肌《はだ》の、れいの裸婦《らふ》の像を竹一に見せました。

「すげえなあ、」

竹一は眼《め》を丸くして感嘆《かんたん》しました。

「地獄《じごく》の馬みたい。」

「やっぱり、お化けかね。」

「おれも、こんなお化けの絵がかきたいよ。」

あまりに人間を恐怖《きょうふ》している人たちは、かえって、もっともっと、おそろしい妖怪《ようかい》を確実にこの眼《め》で見たいと願望するに到《いた》る心理、神経質な、ものにおびえ易《やす》い人ほど、暴風雨の更に強からん事を祈《いの》る心理、ああ、この一群の画家たちは、人間という化け物に傷《いた》めつけられ、おびやかされた揚句《あげく》の果、ついに幻影《げんえい》を信じ、白昼の自然の中に、ありありと妖怪を見たのだ、しかも彼等《かれら》は、それを道化などでごまかさず、見えたままの表現に努力したのだ、竹一の言うように、敢然《かんぜん》と「お化けの絵」をかいてしまったのだ、ここに将来の自分の、仲間がいる、と自分は、涙《なみだ》が出たほどに興奮し、

「僕も画《か》くよ。お化けの絵を画くよ。地獄の馬を、画くよ。」

と、なぜだか、ひどく声をひそめて、竹一に言ったのでした。

自分は、小学校の頃から、絵はかくのも、見るのも好きでした。けれども、自分のかいた絵は、自分の綴《つづ》り方ほどには、周囲の評判が、よくありませんでした。自分は、どだい人間の言葉を一向に信用していませんでしたので、綴り方などは、自分にとって、ただお道化の御《ご》挨拶みたいなもので、小学校、中学校、と続いて先生たちを狂喜《きょうき》させて来ましたが、しかし、自分では、さっぱり面白くなく、絵だけは、(漫画《まんが》などは別ですけれども)その対象の表現に、幼い我流ながら、多少の苦心を払《はら》っていました。学校の図画のお手本はつまらないし、先生の絵は下手くそだし、自分は、全く出鱈目《でたらめ》にさまざまの表現法を自分で工夫《くふう》して試みなければならないのでした。中学校へはいって、自分は油絵の道具も一揃《ひとそろ》い持っていましたが、しかし、そのタッチの手本を、印象派の画風に求めても、自分の画いたものは、まるで千代紙細工のようにのっぺりして、ものになりそうもありませんでした。けれども自分

は、竹一の言葉に依って、自分のそれまでの絵画に対する心構えが、まるで間違《まちが》っていた事に気が附《つ》きました。美しいと感じたものを、そのまま美しく表現しようと努力する甘さ、おろかしさ。マイスター*たちは、何でも無いものを、主観に依って美しく創造し、或《ある》いは醜《みにく》いものに嘔吐《おうと》をもよおしながらも、それに対する興味を隠《かく》さず、表現のよろこびにひたっている、つまり、人の思惑《おもわく》に少しもたよっていないらしいという、画法のプリミチヴな虎《とら》の巻を、竹一から、さずけられて、れいの女の来客たちには隠して、少しずつ、自画像の制作に取りかかってみました。

自分でも、ぎょっとしたほど、陰惨《いんさん》な絵が出来上りました。しかし、これこそ胸底にひた隠しに隠している自分の正体なのだ、おもては陽気に笑い、また人を笑せているけれども、実は、こんな陰鬱《いんうつ》な心を自分は持っているのだ、仕方が無い、とひそかに肯定《こうてい》し、けれどもその絵は、竹一以外の人には、さすがに誰《だれ》にも見せませんでした。自分のお道化の底の陰惨を見破られ、急にケチくさく警戒《けいかい》せられるのもいやでしたし、また、これを自分の正体とも気づかず、やっぱり新趣向のお道化と見なされ、大笑いの種にせられるかも知れぬという懸念《けねん》もあり、それは何よりもつらい事でしたので、その絵はすぐに押入れの奥深くしまい込みました。

また、学校の図画の時間にも、自分はあの「お化け式手法」は秘めて、いままでどおりの美しいものを美しく画《か》く式の凡庸《ぼんよう》なタッチで画いていました。

自分は竹一にだけは、前から自分の傷み易い神経を平気で見せていましたし、こんどの自画像も安心して竹一に見せ、たいへんほめられ、さらに二枚三枚と、お化けの絵を画きつづけ、竹一からもう一つの、

「お前は、偉《えら》い絵画きになる。」

という予言を得たのでした。

惚《ほ》れられるという予言と、偉い絵画きになるという予言と、この二つの予言を馬鹿《かば》の竹一に依って額に刻印せられて、やがて、自分は東京へ出て来ました。

自分は、美術学校にはいりたかったのですが、父は、前から自分を高等学校にいれて、末は官吏《かんり》にするつもりで、自分にもそれを言い渡《わた》してあったので、口応《くちごた》え一つ出来ないたちの自分は、ぼんやりそれに従ったのでした。四年から受けて見よ、と言われたので、自分も桜と海の中学はもういい加減あきていましたし、五年に進級せず、四年修了《しゅうりょう》のままで、東京の高等学校に受験して合格し、すぐに寮《りょう》生活にはいりましたが、その不潔と粗暴《そぼう》に辟易《へきえき》して、道化どころではなく、医師に肺浸潤《しんじゅん》の診断書《しんだんしょ》を書いてもらい、寮から出て、上野桜木町の父の別荘《べっそう》に移りました。自分には、団体生活というものが、どうしても出来ません。それにまた、青春の感激だとか、若人《わこうど》の誇《ほこ》りだとかいう言葉は、聞いて寒気がして来て、とても、あの、ハイスクール・スピリットとかいうものには、ついて行けなかったのです。教室も寮も、

ゆがめられた性慾《せいよく》の、はきだめみたいな気さえして、自分の完璧《かんぺき》に近いお道化も、そこでは何の役にも立ちませんでした。

父は議会の無い時は、月に一週間か二週間しかその家に滞在《たいざい》していませんでしたので、父の留守の時は、かなり広いその家に、別荘番の老夫婦《ふうふ》と自分と三人だけで、自分は、ちょいちょい学校を休んで、さりとて東京見物などをする気も起らず（自分はとうとう、明治神宮《めいじじんぐう》も、楠正成《くすのきまさしげ》の銅像も、泉岳寺《せんがくじ》＊の四十七士の墓も見ずに終りそうです）家で一日中、本を読んだり、絵をかいたりしていました。父が上京して来ると、自分は、毎朝そそくさと登校するのでしたが、しかし、本郷千駄木町《ほんごうせんだぎちょう》の洋画家、安田新太郎氏の画塾《がじゅく》に行き、三時間も四時間も、デッサンの練習をしている事もあったのです。高等学校の寮から脱《ぬ》けたら、学校の授業に出ても、自分はまるで聴講生《ちょうこうせい》みたいな特別の位置にいるような、それは自分のひがみかもしれなかったのですが、何とも自分自身で白々しい気持がして来て、いっそう学校へ行くのが、おっくうになったのでした。自分には、小学校、中学校、高等学校を通じて、ついに愛校心というものが理解できずに終りました。校歌などというものも、いちども覚えようとした事がありません。

自分は、やがて画塾で、或《あ》る画学生から、酒と煙草《たばこ》と淫売婦《いんばいふ》と質屋と左翼《さよく》思想とを知らされました。妙《みょう》な取合せでしたが、しかし、それは事実でした。

その画学生は、堀木正雄《ほりきまさお》といって、東京の下町に生れ、自分より六つ年長者で、私立の美術学校を卒業して、家にアトリエが無いので、この画塾に通い、洋画の勉強をつづけているのだそうです。

「五円、貸してくれないか。」

お互《たが》いただ顔を見知っているだけで、それまで一言も話合った事が無かったのです。自分は、へどもどして五円差し出しました。

「よし、飲もう。おれが、お前におごるんだ。よかチゴじゃのう。」

自分は拒否《きょひ》し切れず、その画塾の近くの、蓬莱町《ほうらいちょう》のカフェに引っぱって行かれたのが、彼との交友のはじまりでした。

「前から、お前に眼をつけていたんだ。それそれ、そのはにかむような微笑《びしょう》、それが見込みのある芸術家特有の表情なんだ。お近づきのしるしに、乾杯《かんぱい》！　キヌさん、こいつは美男子だろう？　惚《ほ》れちゃいけないぜ。こいつが塾へ来たおかげで、残念ながらおれは、第二番の美男子という事になった。」

堀木は、色が浅黒く端正《たんせい》な顔をしていて、画学生には珍《めず》らしく、ちゃんとした背広を着て、ネクタイの好みも地味で、そうして頭髪《とうはつ》もポマードをつけてまん中からぺったりとわけていました。

自分は馴《な》れぬ場所でもあり、ただもうおそろしく、腕《うで》を組んだりほどいたりして、それこそ、はにかむような微笑ばかりしていましたが、ビイルを二、三杯飲んでいるうちに、妙に解放せられたような軽さを感じて来たのです。

「僕は、美術学校にはいろうと思っていたんですけど、……」

「いや、つまらん。あんなところは、つまらん。学校は、つまらん。われらの教師は、自然の中にあり！ 自然に対するパアトス*！」

しかし、自分は、彼の言う事に一向に敬意を感じませんでした。馬鹿なひとだ、絵も下手にちがいない、しかし、遊ぶのには、いい相手かも知れないと考えました。つまり、自分はその時、生れてはじめて、ほんものの都会の与太者《よたもの》を見たのでした。それは、自分と形は違っていても、やはり、この世の人間の営みから完全に遊離《ゆうり》してしまって、戸迷いしている点に於《お》いてだけは、たしかに同類なのでした。そうして、彼はそのお道化を意識せずに行い、しかも、そのお道化の悲惨に全く気がついていないのが、自分と本質的に異色のところでした。

ただ遊ぶだけだ、遊びの相手として附合《つきあ》っているだけだ、とつねに彼を軽蔑《けいべつ》し、時には彼との交友を恥《は》ずかしくさえ思いながら、彼と連れ立って歩いているうちに、結局、自分は、この男にさえ打ち破られました。

しかし、はじめは、この男を好人物、まれに見る好人物とばかり思い込み、さすが人間恐怖《きょうふ》の自分も全く油断をして、東京のよい案内者が出来た、くらいに思っていました。自分は、実は、ひとりでは、電車に乗ると車掌《しゃしょう》がおそろしく、歌舞伎座《かぶきざ》へはいりたくても、あの正面玄関《げんかん》の緋《ひ》の絨緞《じゅうたん》が敷かれてある階段の両側に並んで立っている案内嬢《あんないじょう》たちがおそろしく、レストランへはいると、自分の背後にひっそり立って、皿のあくのを待っている給仕のボーイがおそろしく、殊《こと》にも勘定《かんじょう》を払《はら》う時、ああ、ぎごちない自分の手つき、自分は買い物をしてお金を手渡す時には、吝嗇《りんしょく》ゆえでなく、あまりの緊張《きんちょう》、あまりの恥ずかしさ、あまりの不安、恐怖に、くらくら目まいして、世界が真暗になり、ほとんど半狂乱《はんきょうらん》の気持になってしまって、値切るどころか、お釣《つり》を受け取るのを忘れるばかりでなく、買った品物を持ち帰るのを忘れた事さえ、しばしばあったほどなので、とても、ひとりで東京のまちを歩けず、それで仕方なく、一日一ぱい家の中で、ごろごろしていたという内情もあったのでした。

それが、堀木に財布《さいふ》を渡して一緒《いっしょ》に歩くと、堀木は大いに値切って、しかも遊び上手というのか、わずかなお金で最大の効果のあるような支払い振《ぶ》りを発揮し、また、高い円タクは敬遠して、電車、バス、ポンポン蒸気など、それぞれ利用し分けて、最短時間で目的地へ着くという手腕《しゅわん》をも示し、淫売婦のところから朝帰る途中には、何々という料亭《りょうてい》に立ち寄って朝風呂《あさぶろ》へはいり、湯豆腐《ゆどうふ》で軽くお酒を飲むのが、安い割に、ぜいたくな気分になれるものだと実地教育をしてくれたり、その他《ほか》、屋台の牛めし焼とりの安価にして滋養《じよう》に富むものたる事を説き、酔《よ》いの早く発するのは、電気ブランの右に出るものはないと保証し、とにかくその勘定に就《つ》いては自分に、一つも不安、恐怖を覚えさせた事がありませんでした。

さらにまた、堀木と附合って救われるのは、堀木が聞き手の思惑《おもわく》などをてんで無視して、その所謂情熱《いわゆるパトス》の噴出《ふんしゅつ》するがままに、(或《あるい》は、情熱とは、相手の立場を無視する事かも知れませんが)四六時中、くだらないおしゃべりを続け、あの、二人で歩いて疲《つか》れ、気まずい沈黙《ちんもく》におちいる危惧《きく》が、全く無いという事でした。人に接し、あのおそろしい沈黙がその場にあらわれる事を警戒《けいかい》して、もともと口の重い自分が、ここを先途《せんど》と必死のお道化を言って来たものですが、いまこの堀木の馬鹿が、意識せずに、そのお道化役をみずからすすんでやってくれているので、自分は、返事もろくにせずに、ただ聞き流し、時折、まさか、などと言って笑っておれば、いいのでした。

酒、煙草、淫売婦、それは皆《みな》、人間恐怖を、たとい一時でも、まぎらす事の出来るずいぶんよい手段である事が、やがて自分にもわかって来ました。それらの手段を求めるためには、自分の持ち物全部を売却《ばいきゃく》しても悔《く》いない気持さえ、抱《いだ》くようになりました。

自分には、淫売婦というものが、人間でも、女性でもない、白痴《はくち》か狂人のように見え、そのふところの中で、自分はかえって全く安心して、ぐっすり眠《ねむ》る事が出来ました。みんな、哀《かな》しいくらい、実にみじんも慾というものが無いのでした。そうして、自分に、同類の親和感とでもいったようなものを覚えるのか、自分は、いつも、その淫売婦たちから、窮屈《きゅうくつ》でない程度の自然の好意を示されました。何の打算も無い好意、押し売りでは無い好意、二度と来ないかも知れぬひとへの好意、自分には、その白痴か狂人の淫売婦たちに、マリヤの円光を現実に見た夜もあったのです。

しかし、自分は、人間への恐怖からのがれ、幽《かす》かな一夜の休養を求めるために、そこへ行き、それこそ自分と「同類」の淫売婦たちと遊んでいるうちに、いつのまにやら無意識の、或るいまわしい雰囲気《ふんいき》を身辺にいつもただよわせるようになった様子で、これは自分にも全く思い設けなかった所謂「おまけの附録《ふろく》」でしたが、次第《しだい》にその「附録」が、鮮明《せんめい》に表面に浮《う》き上って来て、堀木にそれを指摘《してき》せられ、愕然《がくぜん》として、そうして、いやな気が致《いた》しました。はたから見て、俗《ぞく》な言い方をすれば、自分は、淫売婦に依《よ》って女の修行《しゅぎょう》をして、しかも、最近めっきり腕をあげ、女の修行は、淫売婦に依るのが一ばん厳《きび》しく、またそれだけに効果のあがるものだそうで、既《すで》に自分には、あの、「女達者」という匂《にお》いがつきまとい、女性は、（淫売婦に限らず）本能に依ってそれを嗅《か》ぎ当て寄り添《そ》って来る、そのような、卑猥《ひわい》で不名誉《ふめいよ》な雰囲気を、「おまけの附録」としてもらって、そうしてそのほうが、自分の休養などよりも、ひどく目立ってしまっているらしいのでした。

堀木はそれを半分はお世辞で言ったのでしょうが、しかし、自分にも、重苦しく思い当る事があり、たとえば、喫茶店《きっさてん》の女から稚拙《ちせつ》な手紙をもらった覚えもあるし、桜木町の家の隣《とな》りの将軍のはたちくらいの娘《むすめ》が、毎朝、自分の登校の時刻には、用も無さそうなのに、ご自分の家の門を薄化粧《うすげしょう》して出たりはいったりしていたし、牛肉を食いに行くと、自分が黙《だま》っていても、そこの女中が、……また、いつも買いつけの煙草屋《たばこや》の娘から手渡《てわた》された煙草の箱の中に、……また、歌舞伎を見に行って隣りの席のひとに、……また、深夜の市電で自分が酔って眠っていて、……また、思いがけなく故郷の親戚《しんせき》の娘から、思いつめたような手紙が来て、……また、誰《だれ》かわからぬ娘が、自分の留守中にお手製らしい人形を、……自分が極度に消極的なので、いずれも、それっきりの話で、ただ断片《だんぺん》、それ以上の進展は一つもありませんでしたが、何か女に夢を見させる雰囲気が、自分のどこかにつきまとっている事は、それは、のろけだの何だのというい加減な冗談《じょうだん》でなく、否定できないのでありました。自分は、それを堀木ごとき者に指摘せられ、屈辱《くつじょく》に似た苦《にが》さを感ずると共に、淫売婦と遊ぶ事にも、にわかに興が覚めました。

堀木は、また、その見栄坊《みえぼう》のモダニティ*から、(堀木の場合、それ以外の理由は、自分には今もって考えられませんのですが）或《あ》る日、自分を共産主義の読書会とかいう（R・Sとかいっていたか、記憶《きおく》がはっきり致しません）そんな、秘密の研究会に連れて行きました。堀木などという人物にとっては、共産主義の秘密会合も、れいの「東京案内」の一つくらいのものだったのかも知れません。自分は所謂「同志」に紹介《しょうかい》せられ、パンフレットを一部買わされ、そうして上座のひどい醜《みにく》い顔の青年から、マルクス経済学の講義を受けました。しかし、自分には、それはわかり切っている事のように思われました。それは、そうに違《ちが》いないだろうけれども、人間の心には、もっとわけのわからない、おそろしいものがある。慾《よく》、と言っても、言いたりない、ヴァニティ*、と言っても、言いたりない、色と慾、とこう二つ並べても、言いたりない、何だか自分にもわからぬが、人間の世の底に、経済だけでない、へんに怪談《かいだん》じみたものがあるような気がして、その怪談におびえ切っている自分には、所謂唯物論《ゆいぶつろん》を、水の低きに流れるように自然に肯定《こうてい》しながらも、しかし、それに依って、人間に対する恐怖から解放せられ、青葉に向って眼《め》をひらき、希望のよろこびを感ずるなどという事は出来ないのでした。けれども、自分は、いちども欠席せずに、そのR・S（と言ったかと思いますが、間違っているかも知れません）なるものに出席し、「同志」たちが、いやに一大事の如《ごと》く、こわばった顔をして、一プラス一は二、というような、ほとんど初等の算術めいた理論の研究にふけっているのが滑稽《こっけい》に見えてたまらず、れいの自分のお道化で、会合をくつろがせる事に努め、そのためか、次第に研究会の窮屈な気配もほぐれ、自分はその会合に無くてかなわぬ人気者という形にさえなって来たようでした。この、単純そうな人たちは、自分の事を、やはりこの人たちと同じ様に単純で、そうして、楽天的なおどけ者の「同志」くらいに考えていたかも知れませんが、もし、そうだったら、自分は、この人たちを一から十まで、あざむいていたわけです。自分は、同志では無かったんです。けれども、その会合に、いつも欠かさず出席して、皆にお道化のサーヴィスをして来ました。

好きだったからなのです。自分には、その人たちが、気にいっていたからなのです。しかし、それは必ずしも、マルクスに依って結ばれた親愛感では無かったのです。

非合法。自分には、それが幽かに楽しかったのです。むしろ、居心地《いごこち》がよかったのです。世の中の合法というもののほうが、かえっておそろしく、（それには、底知れず強いものが予感せられます）そのからくりが不可解で、とてもその窓の無い、底冷えのする部屋には坐《すわ》っておられず、外は非合法の海であっても、それに飛び込んで泳いで、やがて死に到《いた》るほうが、自分には、いっそ気楽のようでした。

日蔭者《ひかげもの》、という言葉があります。人間の世に於《お》いて、みじめな、敗者、悪徳者を指差していう言葉のようですが、自分は、自分を生れた時からの日蔭者のような気がしていて、世間から、あれは日蔭者だと指差されている程《ほど》のひとと逢《あ》うと、自分は、必ず、優《やさ》しい心になるのです。そうして、その自分の「優しい心」は、自身でうっとりするくらい優しい心でした。

また、犯人意識、という言葉もあります。自分は、この人間の世の中に於いて、一生その意識に苦しめられながらも、しかし、それは自分の糟糠《そうこう》の妻の如き好伴侶《こうはんりょ》で、そいつと二人きりで侘《わ》びしく遊びたわむれているというのも、自分の生きている姿勢の一つだったかも知れないし、また、俗に、脛《すね》に傷持つ身、という言葉もあるようですが、その傷は、自分の赤ん坊《ぼう》の時から、自然に片方の脛にあらわれて、長ずるに及《およ》んで治癒《ちゆ》するどころか、いよいよ深くなるばかりで、骨にまで達し、夜々の痛苦は千変万化《せんぺんばんか》の地獄《じごく》とは言いながら、しかし、（これは、たいへん奇妙《きみょう》な言い方ですけど）その傷は、次第に自分の血肉よりも親しくなり、その傷の痛みは、すなわち傷の生きている感情、または愛情の囁《ささや》きのようにさえ思われる、そんな男にとって、れいの地下運動のグルウプの雰囲気が、へんに安心で、居心地がよく、つまり、その運動の本来の目的よりも、その運動の肌《はだ》が、自分に合った感じなのでした。堀木の場合は、ただもう阿呆《あほう》のひやかしで、いちど自分を紹介しにその会合へ行ったきりで、マルキシストは、生産面の研究と同時に、消費面の視察も必要だなどと下手な洒落《しゃれ》を言って、その会合には寄りつかず、とかく自分を、その消費面の視察のほうにばかり誘《さそ》いたがるのでした。思えば、当時は、さまざまの型のマルキシストがいたものです。堀木のように、虚栄《きょえい》のモダニティから、それを自称《じしょう》する者もあり、また自分のように、ただ非合法の匂《にお》いが気にいって、そこに坐り込んでいる者もあり、もしもこれらの実体が、マルキシズムの真の信奉《しんぽう》者に見破られたら、堀木も自分も、烈火《れっか》の如く怒《おこ》られ、卑劣《ひれつ》なる裏切者として、たちどころに追い払《はら》われた事でしょう。しかし、自分も、また、堀木でさえも、なかなか除名の処分に遭《あ》わず、殊《こと》にも自分は、その非合法の世界に於いては、合法の紳士《しんし》たちの世界に於けるよりも、かえってのびのびと、所謂《いわゆる》「健康」に振舞《ふるま》う事が出来ましたので、見込みのある「同志」として、噴《ふ》き出したくなるほど過度に秘密めかした、さまざまの用事をたのまれるほどになったのです。また、事実、自分は、そんな用事をいちども断ったことは無く、平気でなんでも引受け、へんにぎくしゃくして、犬（同志は、ポリスをそう呼んでいました）にあやしまれ不《ふ》審訊問《しんじんもん》などを受けてしくじるような事も無かったし、笑いながら、また、ひとを笑わせながら、そのあぶない（その運動の連中は、一大事の如く緊張《きんちょう》し、探偵《たんてい》小説の下手な真似《まね》みたいな事までして、極度の警戒《けいかい》を用い、そうして自分にたのむ仕事は、まことに、あっけにとられるくらい、つまらないものでしたが、それでも、彼等《かれら》は、その用事を、さかんに、あぶながって力んでいるのでした）と、彼等の称する仕事を、とにかく正確にやってのけていました。自分のその当時の気持としては、党員になって捕《とら》えられ、たとい終身、刑務《けいむ》所《しょ》で暮すようになったとしても、平気だったのです。世の中の人間の「実生活」というものを恐怖しながら、毎夜の不眠《ふみん》の地獄で呻《うめ》いているよりは、いっそ牢《ろう》屋《や》のほうが、楽かも知れないとさえ考えていました。

父は、桜木町の別荘《べっそう》では、来客やら外出やら、同じ家にいても、三日も四日も自分と顔を合せる事が無いほどでしたが、しかし、どうにも、父がけむったく、おそろしく、この家を出て、どこか下宿でも、と考えながらもそれを言い出せずにいた矢先に、父がその家を売払うつもりらしいという事を別荘番の老爺《ろうや》から聞きました。

父の議員の任期もそろそろ満期に近づき、いろいろ理由のあった事に違いありませんが、もうこれきり選挙に出る意志も無い様子で、それに、故郷に一棟《ひとむね》、隠居所《いんきょじょ》など建てたりして、東京に未練も無いらしく、たかが、高等学校の一生徒に過ぎない自分のために、邸宅《ていたく》と召使《めしつか》いを提供して置くのも、むだな事だとでも考えたのか、（父の心もまた、世間の人たちの気持ちと同様に、自分にはよくわかりません）とにかく、その家は、間も無く人手にわたり、自分は、本郷森川町の仙遊館《せんゆうかん》という古い下宿の、薄暗《うすぐら》い部屋に引越《ひっこ》して、そうして、たちまち金に困りました。

それまで、父から月々、きまった額の小《こ》遣《づか》いを手《て》渡《わた》され、それはもう、二、三日で無くなっても、しかし、煙草《たばこ》も、酒も、チイズも、くだものも、いつでも家にあったし、本や文房具《ぶんぼうぐ》やその他、服装に関するものなど一切《いっさい》、いつでも、近所の店から所謂「ツケ」で求められたし、堀木におそばか天丼《てんどん》などをごちそうしても、父のひいきの町内の店だったら、自分は黙《だま》ってその店を出てもかまわなかったのでした。

それが急に、下宿のひとり住いになり、何もかも、月々の定額の送金で間に合わせなければならなくなって、自分は、まごつきました。送金は、やはり、二、三日で消えてしまい、自分は慄然《りつぜん》とし、心細さのために狂《くる》うようになり、父、兄、姉などへ交互《こうご》にお金を頼《たの》む電報と、イサイフミの手紙（その手紙に於いて訴《うった》えている事情は、ことごとく、お道化の虚構でした。人にものを頼むのに、まず、その人を笑わせるのが上策と考えていたのです）を連発する一方、また、堀木に教えられ、せっせと質屋《しちや》がよいをはじめ、それでも、いつもお金に不自由をしていました。

所詮《しょせん》、自分には、何の縁故《えんこ》も無い下宿に、ひとりで「生活」して行く能力が無かったのです。自分は、下宿のその部屋に、ひとりでじっとしているのが、おそろしく、いまにも誰《だれ》かに襲《おそ》われ、一撃《いちげき》せられるような気がして来て、街に飛び出しては、れいの運動の手伝いをしたり、或《ある》いは堀木と一緒《いっしょ》に安い酒を飲み廻《まわ》ったりして、ほとんど学業も、また画《え》の勉強も放棄《ほうき》し、高等学校へ入学して、二年目の十一月、自分より年上の有夫の婦人と情死事件などを起し、自分の身の上は、一変しました。

学校は欠席するし、学科の勉強も、すこしもしなかったのに、それでも、妙に試験の答案に要領のいいところがあるようで、どうやらそれまでは、故郷の肉親をあざむき通して来たのですが、しかし、もうそろそろ、出席日数の不足など、学校のほうから内密に故郷の父へ報告が行っているらしく、父の代理として長兄《ちょうけい》が、いかめしい文章の長い手紙を、自分に寄こすようになっていたのでした。けれども、それよりも、自分の直接の苦痛は、金の無い事と、それから、れいの運動の用事が、とても遊び半分の気持では出来ないくらい、はげしく、いそがしくなって来た事でした。中央地区と言ったか、何地区と言ったか、とにかく本郷、小石川《こいしかわ》、下谷《したや》、神田《かんだ》、あの辺の学校全部の、マルクス学生の行動隊々長というものに、自分はなっていたのでした。武装蜂起《ぶそうほうき》、と聞き、小さいナイフを買い（いま思えば、それは鉛筆をけずるにも足りない、きゃしゃなナイフでした）それを、レンコオトのポケットにいれ、あちこち飛び廻って、所謂「連絡《れんらく》」をつけるのでした。お酒を飲んで、ぐっすり眠《ねむ》りたい、しかし、お金がありません。しかも、P（党の事を、そういう隠語《いんご》で呼んでいたと記憶《きおく》していますが、或いは、違《ちが》っているかも知れません）のほうからは、次々と息《いき》をつくひまも無いくらい、用事の依頼《いらい》がまいります。自分の病弱のからだでは、とても勤まりそうも無くなりました。もともと、非合法の興味だけから、そのグルウプの手伝いをしていたのですし、こんなに、それこそ冗談《じょうだん》から駒《こま》が出たように、いやにいそがしくなって来ると、自分は、ひそかにPのひとたちに、それはお門《かど》ちがいでしょう、あなたたちの直系のものたちにやらせたらどうですか、というようないまいましい感を抱《いだ》くのを禁ずる事が出来ず、逃げました。逃げて、さすがに、いい気持はせず、死ぬ事にしました。

その頃《ころ》、自分に特別の好意を寄せている女が、三人いました。ひとりは、自分の下宿している仙遊館の娘《むすめ》でした。この娘は、自分がれいの運動の手伝いでへとへとになって帰り、ごはんも食べずに寝《ね》てしまってから、必ず用箋《ようせん》と万年筆を持って自分の部屋にやって来て、

「ごめんなさい。下では、妹や弟がうるさくて、ゆっくり手紙も書けないのです。」

と言って、何やら自分の机に向って一時間以上も書いているのです。

自分もまた、知らん振りをして寝ておればいいのに、いかにもその娘が何か自分に言ってもらいたげの様子なので、れいの受け身の奉仕《ほうし》の精神を発揮して、実に一言も口をききたくない気持なのだけれども、くたくたに疲《つか》れ切っているからだに、ウムと気合いをかけて腹這《はらば》いになり、煙草《たばこ》を吸い、

「女から来たラヴ・レターで、風呂《ふろ》をわかしてはいった男があるそうですよ。」

「あら、いやだ。あなたでしょう?」

「ミルクをわかして飲んだ事はあるんです。」

「光栄だわ、飲んでよ。」

早くこのひと、帰らねえかなあ、手紙だなんて、見えすいているのに。へへののもへじでも書いているのに違いないんです。

「見せてよ。」

と死んでも見たくない思いでそう言えば、あら、いやよ、あら、いやよ、と言って、そのうれしがる事、ひどくみっともなく、興が覚めるばかりなのです。そこで自分は、用事でも言いつけてやれ、と思うんです。

「すまないけどね、電車通りの薬屋に行って、カルモチンを買って来てくれない？あんまり疲れすぎて、顔がほてって、かえって眠れないんだ。すまないね。お金は、……」

「いいわよ、お金なんか。」

よろこんで立ちます。用を言いつけるというのは、決して女をしょげさせる事ではなく、かえって女は、男に用事をたのまれると喜ぶものだという事も、自分はちゃんと知っているのでした。

もうひとりは、女子高等師範《しはん》の文科生の所謂《いわゆる》「同志」でした。このひととは、れいの運動の用事で、いやでも毎日、顔を合せなければならなかったのです。打ち合せがすんでからも、その女は、いつまでも自分について歩いて、そうして、やたらに自分に、ものを買ってくれるのでした。

「私を本当の姉だと思っていてくれていいわ。」

そのキザに身震《みぶる》いしながら、自分は、

「そのつもりでいるんです。」

と、愁《うれ》えを含《ふく》んだ微笑《びしょう》の表情を作って答えます。とにかく、怒《おこ》らせては、こわい、何とかして、ごまかさなければならぬ、という思い一つのために、自分はいよいよその醜《みにく》い、いやな女に奉仕をして、そうして、ものを買ってもらっては、(その買い物は、実に趣味《しゅみ》の悪い品ばかりで、自分はたいてい、すぐにそれを、焼きとり屋の親爺《おやじ》などにやってしまいました)うれしそうな顔をして、冗談を言っては笑わせ、或《あ》る夏の夜、どうしても離《はな》れないので、街の暗いところで、そのひとに帰ってもらいたいばかりに、キスをしてやりましたら、あさましく狂乱《きょうらん》の如《ごと》く興奮し、自動車を呼んで、そのひとたちの運動のために秘密に借りてあるらしいビルの事務所みたいな狭《せま》い洋室に連れて行き、朝まで大騒《おおさわ》ぎという事になり、とんでもない姉だ、と自分はひそかに苦笑しました。

下宿屋の娘と言い、またこの「同志」と言い、どうしたって毎日、顔を合せなければならぬ具合になっていますので、これまでの、さまざまの女のひとのように、うまく避《さ》けられず、つい、ずるずるに、れいの不安の心から、この二人のご機嫌《きげん》をただ懸命《けんめい》に取り結び、もはや自分は、金縛《かなしば》り同様の形になっていました。

同じ頃また自分は、銀座の或る大カフェの女給から、思いがけぬ恩を受け、たったいちど逢《あ》っただけなのに、それでも、その恩にこだわり、やはり身動き出来ないほどの、心配やら、空《そら》おそろしさを感じていたのでした。その頃になると、自分も、敢《あ》えて堀木の案内に頼《たよ》らずとも、ひとりで電車にも乗れるし、また、歌舞伎座《かぶきざ》にも行けるし、または、絣《かすり》の着物を着て、カフェにだってはいれるくらいの、多少の図々《ずうずう》しさを装《よそお》えるようになっていたのです。心では、相変らず、人間の自信と暴力とを怪《あや》しみ、恐《おそ》れ、悩《なや》みながら、うわべだけは、少しずつ、他人と真顔の挨拶《あいさつ》、いや、ちがう、自分はやはり敗北のお道化の苦しい笑いを伴《ともな》わずには、挨拶できないたちなのですが、とにかく、無我夢中《むがむちゅう》のへどもどの挨拶でも、どうやら出来るくらいの「伎倆《ぎりょう》」を、れいの運動で走り廻ったおかげ？　または、女の？　または、酒？　けれども、おもに金銭の不自由のおかげで修得しかけていたのです。どこにいても、おそろしく、かえって大カフェでたくさんの酔客《すいきゃく》または女給、ボーイたちにもまれ、まぎれ込む事が出来たら、自分のこの絶えず追われているような心も落ちつくのではなかろうか、と十円持って、銀座のその大カフェに、ひとりではいって、笑いながら相手の女給に、

「十円しか無いんだからね、そのつもりで。」

と言いました。

「心配要《い》りません。」

どこかに関西の訛《なま》りがありました。そうして、その一言が、奇妙《きみょう》に自分の、震えおののいている心をしずめてくれました。いいえ、お金の心配が要らなくなったからではありません。そのひとの傍《そば》にいる事に心配が要らないような気がしたのです。

自分は、お酒を飲みました。そのひとに安心しているので、かえってお道化など演じる気持も起らず、自分の地金《じがね》の無口で陰惨《いんさん》なところを隠《かく》さず見せて、黙《だま》ってお酒を飲みました。

「こんなの、おすきか？」

女は、さまざまの料理を自分の前に並べました。自分は首を振《ふ》りました。

「お酒だけか？　うちも飲もう。」

秋の、寒い夜でした。自分は、ツネ子（といったと覚えていますが、記憶《きおく》が薄《うす》れ、たしかではありません。情死の相手の名前をさえ忘れているような自分なのです）に言いつけられたとおりに、銀座裏の、或る屋台のお鮨《すし》やで、少しもおいしくない鮨を食べながら、（そのひとの名前は忘れても、その時の鮨のまずさだけは、どうした事か、はっきり記憶に残っています。そうして、青大将の顔に似た顔つきの、丸坊主《まるぼうず》のおやじが、首を振り振り、いかにも上手みたいにごまかしながら鮨を握《にぎ》っている様も、眼前に見るように鮮明《せんめい》に思い出され、後年、電車などで、はて見た顔だ、といろいろ考え、なんだ、あの時の鮨やの親爺に似ているんだ、と気が附《つ》き苦笑した事も再三あったほどでした。あのひとの名前も、また、顔かたちさえ記憶から遠ざかっている現在なお、あの鮨やの親爺の顔だけは絵にかけるほど正確に覚えているとは、よっぽどあの時の鮨がまずく、自分に寒さと苦痛を与《あた》えたものと思われます。もともと、自分は、うまい鮨を食わせる店というところに、ひとに連れられて行って食っても、うまいと思った事は、いちどもありませんでした。大き過ぎるのです。親指くらいの大きさにキチッと握れないものかしら、といつも考えていました）そのひとを、待っていました。

本所《ほんじょ》の大工さんの二階を、そのひとが借りていました。自分は、その二階で、日頃の自分の陰鬱《いんうつ》な心を少しもかくさず、ひどい歯痛に襲《おそ》われてでもいるように、片手で頬《ほお》をおさえながら、お茶を飲みました。そうして、自分のそんな姿態が、かえって、そのひとには、気にいったようでした。そのひとも、身のまわりに冷たい木《こ》枯《がら》しが吹《ふ》いて、落葉だけが舞《ま》い狂《くる》い、完全に孤立《こりつ》している感じの女でした。

一緒《いっしょ》にやすみながらそのひとは、自分より二つ年上であること、故郷は広島、あたしには主人があるのよ、広島で床屋《とこや》さんをしていたの、昨年の春、一緒に東京へ家出して逃《に》げて来たのだけれども、主人は、東京で、まともな仕事をせずそのうちに詐欺罪《さぎざい》に問われ、刑務所《けいむしょ》にいるのよ、あたしは毎日、何やらかやら差し入れしに、刑務所へかよっていたのだけれども、あすから、やめます、などと物語るのでしたが、自分は、どういうものか、女の身の上噺《ばなし》というものには、少しも興味を持てないたちで、それは女の語り方の下手なせいか、つまり、話の重点の置き方を間違《まちが》っているせいなのか、とにかく、自分には、つねに、馬耳東風《ばじとうふう》なのでありました。

侘《わ》びしい。

自分には、女の千万言の身の上噺よりも、その一言の呟《つぶや》きのほうに、共感をそそられるに違いないと期待していても、この世の中の女から、ついにいちども自分は、その言葉を聞いた事がないのを、奇怪《きかい》とも不思議とも感じております。けれども、そのひとは、言葉で「侘びしい」とは言いませんでしたが、無言のひどい侘びしさを、からだの外郭《がいかく》に、一寸《いっすん》くらいの幅《はば》の気流みたいに持っていて、そのひとに寄り添《そ》うと、こちらのからだもその気流に包まれ、自分の持っている多少トゲトゲした陰鬱の気流と程《ほど》よく溶《と》け合い、「水底の岩に落ち附く枯葉《かれは》」のように、わが身は、恐怖《きょうふ》からも不安からも、離れる事が出来るのでした。

あの白痴《はくち》の淫売婦《いんばいふ》たちのふところの中で、安心してぐっすり眠《ねむ》る思いとは、また、全く異って、（だいいち、あのプロステチュウト*たちは、陽気でした）その詐欺罪の犯人の妻と過した一夜は、自分にとって、幸福な（こんな大それた言葉を、なんの躊躇《ちゅうちょ》も無く、肯定《こうてい》して使用する事は、自分のこの全手記に於《お》いて、再び無いつもりです）解放せられた夜でした。

しかし、ただ一夜でした。朝、眼《め》が覚めて、はね起き、自分はもとの軽薄《けいはく》な、装《よそお》えるお道化者になっていました。弱虫は、幸福をさえおそれるものです。綿で怪我《けが》をするんです。幸福に傷つけられる事もあるんです。傷つけられないうちに、早く、このまま、わかれたいとあせり、れいのお道化の煙幕《えんまく》を張りめぐらすのでした。

「金の切れめが縁《えん》の切れめ、ってのはね、あれはね、解釈《かいしゃく》が逆なんだ。金が無くなると女にふられるって意味、じゃあ無いんだ。男に金が無くなると、男は、ただおのずから意気銷沈《しょうちん》して、ダメになり、笑う声にも力が無く、そうして、妙にひがんだりなんかしてね、ついには破れかぶれになり、男のほうから女を振る、半狂乱《はんきょうらん》になって振って振って振り抜《ぬ》くという意味なんだね、金沢大辞林という本に依ればね、可哀《かわい》そうに。僕にも、その気持わかるがね。」

たしか、そんなふうの馬鹿《ばか》げた事を言って、ツネ子を噴《ふ》き出させたような記憶があります。長居は無用、おそれありと、顔も洗わずに素早《すばや》く引上げたのですが、その時の自分の、「金の切れめが縁の切れめ」という出鱈目《でたらめ》の放言が、のちに到《いた》って、意外のひっかかりを生じたのです。

それから、ひとつき、自分は、その夜の恩人とは逢いませんでした。別れて、日が経《た》つにつれて、よろこびは薄れ、かりそめの恩を受けた事がかえってそらおそろしく、自分勝手にひどい束縛《そくばく》を感じて来て、あのカフェのお勘定《かんじょう》を、あの時、全部ツネ子の負担《ふたん》にさせてしまったという俗事《ぞくじ》さえ、次第《しだい》に気になりはじめて、ツネ子もやはり、下宿の娘《むすめ》や、あの女子高等師範《しはん》と同じく、自分を脅迫《きょうはく》するだけの女のように思われ、遠く離れていながらも、絶えずツネ子におびえていて、その上に自分は、一緒に休んだ事のある女に、また逢うと、その時にいきなり何か烈火《れっか》の如《ごと》く怒《おこ》られそうな気がしてたまらず、逢うのに頗《すこぶ》るおっくうがる性質でしたので、いよいよ、銀座は敬遠の形でしたが、しかし、そのおっくうがるという性質は、決して自分の狡猾《こうかつ》さではなく、女性というものは、休んでからの事と、朝、起きてからの事との間に、一つの、塵《ちり》ほどの、つながりをも持たせず、完全の忘却《ぼうきゃく》の如《ごと》く、見事に二つの世界を切断させて生きているという不思議な現象を、まだよく呑《の》みこんでいなかったからなのでした。

十一月の末、自分は、堀木と神田の屋台で安酒を飲み、この悪友は、その屋台を出てからも、さらにどこかで飲もうと主張し、もう自分たちにはお金が無いのに、それでも、飲もう、飲もうよ、とねばるのです。その時、自分は、酔《よ》って大胆《だいたん》になっているからでもありましたが、

「よし、そんなら、夢の国に連れて行く。おどろくな、酒池肉林という、……」

「カフェか?」

「そう。」

「行こう!」

というような事になって二人、市電に乗り、堀木は、はしゃいで、

「おれは、今夜は、女に飢《う》え渇《かわ》いているんだ。女給にキスしてもいいか」

自分は、堀木がそんな酔態《すいたい》を演じる事を、あまり好んでいないのでした。堀木も、それを知っているので、自分にそんな念を押すのでした。

「いいか。キスするぜ。おれの傍に坐《すわ》った女給に、きっとキスして見せる。いいか。」

「かまわんだろう。」

「ありがたい! おれは女に飢え渇いているんだ。」

銀座四丁目で降りて、その所謂《いわゆる》酒池肉林の大カフエに、ツネ子をたのみの綱《つな》としてほとんど無一文ではいり、あいているボックスに堀木と向い合って腰《こし》をおろしたとたんに、ツネ子ともう一人の女給が走り寄って来て、そのもう一人の女給が自分の傍《かたわら》に、そうしてツネ子は、堀木の傍に、ドサンと腰かけたので、自分は、ハッとしました。ツネ子は、いまにキスされる。

惜《お》しいという気持ではありませんでした。自分には、もともと所有慾《よく》というもの

は薄《うす》く、また、たまに幽《かす》かに惜しむ気持はあっても、その所有権を敢然《かんぜん》と主張し、人と争うほどの気力が無いのでした。のちに、自分は、自分の内縁の妻が犯《おか》されるのを、黙《だま》って見ていた事さえあったほどなのです。

自分は、人間のいざこざに出来るだけ触《さわ》りたくないのでした。その渦《うず》に巻き込まれるのが、おそろしいのでした。ツネ子と自分とは、一夜だけの間柄《あいだがら》です。ツネ子は、自分のものではありません。惜しい、など思い上った慾は、自分に持てる筈《はず》はありません。けれども、自分は、ハッとしました。

自分の眼の前で、堀木の猛烈《もうれつ》なキスを受ける、そのツネ子の身の上を、ふびんに思ったからでした。堀木によごされたツネ子は、自分とわかれなければならなくなるだろう、しかも自分にも、ツネ子を引き留める程のポジティヴな熱は無い、ああ、もう、これでおしまいなのだ、とツネ子の不幸に一瞬《いっしゅん》ハッとしたものの、すぐに自分は水のように素直《すなお》にあきらめ、堀木とツネ子の顔を見較《みくら》べ、にやにやと笑いました。

しかし、事態は、実に思いがけなく、もっと悪く展開せられました。

「やめた！」

と堀木は、口をゆがめて言い、

「さすがのおれも、こんな貧乏《びんぼう》くさい女には、……」

閉口し切ったように、腕組《うでぐ》みしてツネ子をじろじろ眺《なが》め、苦笑するのでした。

「お酒を。お金は無い。」

自分は、小声でツネ子に言いました。それこそ、浴《あ》びるほど飲んでみたい気持でした。所謂俗物の眼から見ると、ツネ子は酔漢のキスにも価《あた》いしない、ただ、みすぼらしい、貧乏くさい女だったのでした。案外とも、意外とも、自分には霹靂《へきれき》に撃《う》ちくだかれた思いでした。自分は、これまで例の無かったほど、いくらでも、いくらでも、お酒を飲み、ぐらぐら酔って、ツネ子と顔を見合せ、哀《かな》しく微笑《ほほえ》み合い、いかにもそう言われてみると、こいつはへんに疲《つか》れて貧乏くさいだけの女だな、と思うと同時に、金の無い者どうしの親和（貧富の不和は、陳腐《ちんぷ》のようでも、やはりドラマの永遠のテーマの一つだと自分は今では思っていますが）そいつが、その親和感が、胸に込み上げて来て、ツネ子がいとしく、生れてこの時はじめて、われから積極的に、微弱《びじゃく》ながら恋《こい》の心の動くのを自覚しました。吐《は》きました。前後不覚になりました。お酒を飲んで、こんなに我を失うほど酔ったのも、その時がはじめてでした。

眼が覚めたら、枕《まくら》もとにツネ子が坐っていました。本所の大工さんの二階の部屋に寝ていたのでした。

「金の切れめが縁の切れめ、なんておっしゃって、冗談《じょうだん》かと思うていたら、本気か。

来てくれないのだもの。ややこしい切れめやな。うちが、かせいであげても、だめか。」

「だめ。」

それから、女も休んで、夜明けがた、女の口から「死」という言葉がはじめて出て、女も人間としての営みに疲れ切っていたようでしたし、また、自分も、世の中への恐怖《きょうふ》、わずらわしさ、金、れいの運動、女、学業、考えると、とてもこの上こらえて生きて行けそうもなく、そのひとの提案に気軽に同意しました。

けれども、その時にはまだ、実感としての「死のう」という覚悟《かくご》は、出来ていなかったのです。どこかに「遊び」がひそんでいました。

その日の午前、二人は浅草の六区をさまよっていました。喫茶店《きっさてん》にはいり、牛乳を飲みました。

「あなた、払《はろ》うて置いて。」

自分は立って、袂《たもと》からがま口を出し、ひらくと、銅銭が三枚、羞恥《しゅうち》よりも凄惨《せいさん》の思いに襲《おそ》われ、たちまち脳裡《のうり》に浮《うか》ぶものは、仙遊館の自分の部屋、制服と蒲団《ふとん》だけが残されてあるきりで、あとはもう、質草になりそうなものの一つも無い荒涼《こうりょう》たる部屋、他《ほか》には自分のいま着て歩いている絣《かすり》の着物と、マント、これが自分の現実なのだ、生きて行けない、とはっきり思い知りました。

自分がまごついているので、女も立って、自分のがま口をのぞいて、

「あら、たったそれだけ？」

無心の声でしたが、これがまた、じんと骨身にこたえるほどに痛かったのです。これだけはじめて自分が、恋したひとの声だけに、痛かったのです。それだけも、これだけもない、銅銭三枚は、どだいお金でありません。それは、自分が未《いま》だかつて味わった事の無い奇妙《きみよう》な屈辱《くつじよく》でした。とても生きておられない屈辱でした。所詮《しよせん》その頃《ころ》の自分は、まだお金持ちの坊ちゃんという種属から脱し切っていなかったのでしょう。その時、自分は、みずからすすんでも死のうと、実感として決意したのです。

その夜、自分たちは、鎌倉《かまくら》の海に飛び込みました。女は、この帯はお店のお友達から借りている帯やから、と言って、帯をほどき、畳《たた》んで岩の上に置き、自分もマントを脱《ぬ》ぎ、同じ所に置いて、一緒《いつしよ》に入水《じゆすい》しました。

女のひとは、死にました。そうして、自分だけ助かりました。

自分が高等学校の生徒ではあり、また父の名にもいくらか、所謂ニュウス・ヴァリュがあったのか、新聞にもかなり大きな問題として取り上げられたようでした。

自分は海辺の病院に収容せられ、故郷から親戚《しんせき》の者がひとり駈《か》けつけ、さまざまの始末をしてくれて、そうして、くにの父をはじめ一家中が激怒《げきど》しているから、これっきり生家とは義絶になるかも知れぬ、と自分に申し渡《わた》して帰りました。けれど

も自分は、そんな事より、死んだツネ子が恋いしく、めそめそ泣いてばかりいました。本当に、いままでのひとの中で、あの貧乏くさいツネ子だけを、すきだったのですから。

下宿の娘から、短歌を五十も書きつらねた長い手紙が来ました。「生きくれよ」というへんな言葉ではじまる短歌ばかり、五十でした。また、自分の病室に、看護婦たちが陽気に笑いながら遊びに来て、自分の手をきゅっと握《にぎ》って帰る看護婦もいました。

自分の左肺に故障のあるのを、その病院で発見せられ、これがたいへん自分に好都《つ》合《ごう》な事になり、やがて自分が自《じ》殺《さつ》幇《ほう》助《じょ》罪《ざい》という罪名で病院から警察に連れて行かれましたが、警察では、自分を病人あつかいにしてくれて、特に保護室に収容しました。

深夜、保護室の隣《とな》りの宿直室で、寝《ね》ずの番をしていた年寄りのお巡《まわ》りが、間のドアをそっとあけ、

「おい！」

と自分に声をかけ、

「寒いだろう。こっちへ来て、あたれ。」

と言いました。

自分は、わざとしおしおと宿直室にはいって行き、椅子《いす》に腰《こし》かけて火鉢《ひばち》にあたりました。

「やはり、死んだ女が恋いしいだろう。」

「はい。」

ことさらに、消え入るような細い声で返事しました。

「そこが、やはり人情というものだ。」

彼は次第《しだい》に、大きく構えて来ました。

「はじめ、女と関係を結んだのは、どこだ。」

ほとんど裁判官の如《ごと》く、もったいぶって尋《たず》ねるのでした。彼は、自分を子供とあなどり、秋の夜のつれづれに、あたかも彼自身が取調べの主任でもあるかのように装い、自分から猥談《わいだん》めいた述懐《じゅつかい》を引き出そうという魂胆《こんたん》のようでした。自分は素早くそれを察し、噴《ふ》き出したいのを怺《こら》えるのに骨を折りました。そんなお巡りの「非公式な訊問《じんもん》」には、いっさい答を拒否《きょひ》してもかまわないのだという事は、自分も知っていましたが、しかし、秋の夜ながに興を添《そ》えるため、自分は、あくまでも神妙《しんみょう》に、そのお巡りこそ取調べの主任であって、刑罰《けいばつ》の軽重の決定もそのお巡りの思召《おぼしめ》し一つに在《あ》るのだ、という事を固く信じて疑わないような所謂《いわゆる》誠意をおもてにあらわし、彼の助平の好奇心を、やや満足させる程度のいい加減な「陳述」をするのでした。

「うん、それでだいたいわかった。何でも正直に答えると、わしらのほうでも、そこは手心を加える。」

「ありがとうございます。よろしくお願いいたします。」

ほとんど入神の演技でした。そうして、自分のためには、何も、一つも、とくにならない力演なのです。

夜が明けて、自分は署長に呼び出されました。こんどは、本式の取調べなのです。

ドアをあけて、署長室にはいったとたんに、

「おう、いい男だ。これあ、お前が悪いんじゃない。こんな、いい男に産んだお前のおふくろが悪いんだ。」

色の浅黒い、大学出みたいな感じのまだ若い署長でした。いきなりそう言われて自分は、自分の顔の半面にべったり赤痣《あかあざ》でもあるような、みにくい不具者のような、みじめな気がしました。

この柔道《じゅうどう》か剣道の選手のような署長の取調べは、実にあっさりしていて、あの深夜の老巡査《ろうじゅんさ》のひそかな、執拗《しつよう》きわまる好色の「取調べ」とは、雲泥《うんでい》の差がありました。訊問がすんで、署長は、検事局に送る書類をしたためながら、

「からだを丈夫《じょうぶ》にしなけれゃ、いかんね。血痰《けったん》が出ているようじゃないか。」

と言いました。

その朝、へんに咳《せき》が出て、自分は咳の出るたびに、ハンケチで口を覆《おお》っていたのですが、そのハンケチに赤い霰《あられ》が降ったみたいに血がついていたのです。けれども、それは、喉《のど》から出た血ではなく、昨夜、耳の下に出来た小さいおできをいじって、そのおできから出た血なのでした。しかし、自分は、それを言い明さないほうが、便宜《べんぎ》な事もあるような気がふっとしたものですから、ただ、

「はい。」

と、伏眼《ふしめ》になり、殊勝《しゅしょう》げに答えて置きました。

署長は書類を書き終えて、

「起訴《きそ》になるかどうか、それは検事殿《どの》がきめることだが、お前の身元引受人に、電報か電話で、きょう横浜の検事局に来てもらうように、たのんだほうがいいな、誰《だれ》か、あるだろう、お前の保護者とか保証人とかいうものが。」

父の東京の別荘《べっそう》に出入りしていた書画骨董商《しょがこっとうしょう》の渋田《しぶた》という、自分たちと同郷人で、父のたいこ持ちみたいな役も勤めていたずんぐりした独身の四十男が、自分の学校の保証人になっているのを、自分は思い出しました。その男の顔が、殊《こと》に眼《め》つきが、ヒラメに似ているというので、父はいつもその男をヒラメと呼び、自分も、そう呼びなれていました。

自分は警察の電話帳を借りて、ヒラメの家の電話番号を捜《さが》し、見つかったので、ヒラメに電話して、横浜の検事局に来てくれるように頼みましたら、ヒラメは人が変ったみたいな威張《いば》った口調で、それでも、とにかく引受けてくれました。

「おい、その電話機、すぐ消毒したほうがいいぜ。何せ、血痰が出ているんだから。」

自分が、また保護室に引き上げてから、お巡りたちにそう言いつけている署長の大きな声が、保護室に坐《すわ》っている自分の耳にまで、とどきました。

お昼すぎ、自分は、細い麻縄《あさなわ》で胴《どう》を縛《しば》られ、それはマントで隠《かく》すことを許されましたが、その麻縄の端《はし》を若いお巡りが、しっかり握っていて、二人一緒に電車で横浜に向いました。

けれども、自分には少しの不安も無く、あの警察の保護室も、老巡査もなつかしく、嗚呼《ああ》、自分はどうしてこうなのでしょう、罪人として縛られると、かえってほっとして、そうしてゆったり落ちついて、その時の追憶《ついおく》を、いま書くに当っても、本当にのびのびした楽しい気持になるのです。

しかし、その時期のなつかしい思い出の中にも、たった一つ、冷汗三斗《ひやあせさんと》の、生涯《しょうがい》わすれられぬ悲惨《ひさん》なしくじりがあったのです。自分は、検事局の薄暗《うすぐら》い一室で、検事の簡単な取調べを受けました。検事は四十歳前後の物静かな、(もし自分が美貌《びぼう》だったとしても、それは謂わば邪淫《じゃいん》の美貌だったに違《ちが》いありませんが、その検事の顔は、正しい美貌、とでも言いたいような、聡明《そうめい》な静謐《せいひつ》の気配を持っていました）コセコセしない人柄《ひとがら》のようでしたので、自分も全く警戒《けいかい》せず、ぼんやり陳述《ちんじゅつ》していたのですが、突然《とつぜん》、れいの咳が出て来て、自分は袂《たもと》からハンケチを出し、ふとその血を見て、この咳もまた何かの役に立つかも知れぬとあさましい駈引《かけひ》きの心を起し、ゴホン、ゴホンと二つばかり、おまけの贋《にせ》の咳を大袈裟《おおげさ》に附《つ》け加えて、ハンケチで口を覆ったまま検事の顔をちらと見た、間一髪《かんいっぱつ》、

「ほんとうかい？」

ものしずかな微笑《びしょう》でした。冷汗三斗、いいえ、いま思い出しても、きりきり舞《ま》いをしたくなります。中学時代に、あの馬鹿《ばか》の竹一から、ワザ、ワザ、と言われて脊《せ》中《なか》を突《つ》かれ、地獄《じごく》に蹴落《けおと》された、その時の思い以上と言っても、決して過言では無い気持です。あれと、これと、二つ、自分の生涯に於《お》ける演技の大失敗の記録です。検事のあんな物静かな侮蔑《ぶべつ》に遭《あ》うよりは、いっそ自分は十年の刑を言い渡されたほうが、ましだったと思う事さえ、時たまある程《ほど》なのです。

自分は起訴猶予《ゆうよ》になりました。けれども一向にうれしくなく、世にもみじめな気持で、検事局の控室《ひかえしつ》のベンチに腰かけ、引取り人のヒラメが来るのを待っていました。

背後の高い窓から夕焼けの空が見え、鷗《かもめ》が、「女」という字みたいな形で飛んでいました。

第三の手記

一

竹一の予言の、一つは当り、一つは、はずれました。惚《ほ》れられるという、名誉《めいよ》で無い予言のほうは、あたりましたが、きっと偉《えら》い絵画《えか》きになるという、祝福の予言は、はずれました。

自分は、わずかに、粗悪な雑誌の、無名の下手な漫画家《まんがか》になる事が出来ただけでした。

鎌倉の事件のために、高等学校からは追放せられ、自分は、ヒラメの家の二階の、三畳《じょう》の部屋で寝起《ねお》きして、故郷からは月々、極《きわ》めて少額の金が、それも直接に自分宛《あて》ではなく、ヒラメのところにひそかに送られて来ている様子でしたが、（しかも、それは故郷の兄たちが、父にかくして送ってくれているという形式になっていたようでした）それっきり、あとは故郷とのつながりを全然、断《た》ち切られてしまい、そうして、ヒラメはいつも不機嫌《ふきげん》、自分があいそ笑いをしても、笑わず、人間というものはこんなにも簡単に、それこそ手のひらをかえすが如《ごと》くに変化できるものかと、あさましく、いや、むしろ滑稽《こっけい》に思われるくらいの、ひどい変り様で、

「出ちゃいけませんよ。とにかく、出ないで下さいよ。」

それぱかり自分に言っているのでした。

ヒラメは、自分に自殺のおそれありと、にらんでいるらしく、つまり、女の後を追ってまた海へ飛び込んだりする危険があると見てとっているらしく、自分の外出を固く禁じているのでした。けれども、酒も飲めないし、煙草《たばこ》も吸えないし、ただ、朝から晩まで二階の三畳のこたつにもぐって、古雑誌なんか読んで阿呆《あほう》同然のくらしをしている自分には、自殺の気力さえ失われていました。

ヒラメの家は、大久保《おおくぼ》の医専の近くにあり、書画骨董商、青龍園《せいりゆうえん》、だなどと看板の文字だけは相当に気張っていても、一棟《むね》二戸の、その一戸で、店の間口も狭《せま》く、店内はホコリだらけで、いい加減なガラクタばかり並べ、（もっとも、ヒラメはその店のガラクタにたよって商売しているわけではなく、こっちの所謂旦那《いわゆるだんな》の秘蔵のものを、あっちの所謂旦那にその所有権をゆずる場合などに活躍《かつやく》して、お金をもうけているらしいのです）店に坐っている事は殆《ほとん》ど無く、たいてい朝から、むずかしそうな顔をしてそそくさと出かけ、留守は十七、八の小僧《こぞう》ひとり、これが自分の見

張り番というわけで、ひまさえあれば近所の子供たちと外でキャッチボールなどしていても、二階の居候《いそうろう》をまるで馬鹿か気違いくらいに思っているらしく、大人《おとな》の説教くさい事まで自分に言い聞かせ、自分は、ひとと言い争いの出来ない質《たち》なので、疲《つか》れたような、また、感心したような顔をしてそれに耳を傾《かたむ》け、服従しているのでした。この小僧は渋田のかくし子で、それでもへんな事情があって、渋田は所謂親子の名乗りをせず、また渋田がずっと独身なのも、何やらその辺に理由があっての事らしく、自分も以前、自分の家の者たちからそれに就《つ》いての噂《うわさ》を、ちょっと聞いたような気もするのですが、自分は、どうも他人の身の上には、あまり興味を持てないほうなので、深い事は何も知りません。しかし、その小僧の眼つきにも、妙《みょう》に魚の眼を連想させるところがありましたから、或《あ》いは、本当にヒラメのかくし子、……でも、それならば、二人は実に淋《さみ》しい親子でした。夜おそく、二階の自分には内緒《ないしょ》で、二人でおそばなどを取寄せて無言で食べている事がありました。

ヒラメの家では食事はいつもその小僧がつくり、二階のやっかい者の食事だけは別にお膳《ぜん》に載《の》せて小僧が三度三度二階に持ち運んで来てくれて、ヒラメと小僧は、階段の下のじめじめした四畳半《よじょうはん》で何やら、カチャカチャ皿小鉢《さらこばち》の触《ふ》れ合う音をさせながら、いそがしげに食事しているのでした。

三月末の或る夕方、ヒラメは思わぬもうけ口にでもありついたのか、または何か他《ほか》に策略でもあったのか、（その二つの推察が、ともに当っていたとしても、おそらくは、さらにまたいくつかの、自分などにはとてもとても推察のとどかないこまかい原因もあったのでしょうが）自分を階下の珍《めず》らしくお銚子《ちょうし》など附《つ》いている食卓《しょくたく》に招いて、ヒラメならぬマグロの刺身に、ごちそうの主人《あるじ》みずから感服し、賞讃《しょうさん》し、ぼんやりしている居候にも少しくお酒をすすめ、

「どうするつもりなんです、いったい、これから。」

自分はそれに答えず、卓上の皿から畳鰯《たたみいわし》をつまみ上げ、その小魚たちの銀の眼玉を眺《なが》めていたら、酔《よ》いがほのぼの発して来て、遊び廻《まわ》っていた頃がなつかしく、堀木でさえなつかしく、つくづく「自由」が欲《ほ》しくなり、ふっと、かぼそく泣きそうになりました。

自分がこの家へ来てからは、道化を演ずる張合いさえ無く、ただもうヒラメと小僧の蔑視《べっし》の中に身を横たえ、ヒラメのほうでもまた、自分と打ち解けた長噺《ながばなし》をするのを避《さ》けている様子でしたし、自分もそのヒラメを追いかけて何かを訴《うった》える気などは起らず、ほとんど自分は、間抜《まぬ》けづらの居候になり切っていたのです。

「起訴《きそ》猶予というのは、前科何犯とか、そんなものには、ならない模様です。だから、まあ、あなたの心掛《こころが》け一つで、更生《こうせい》が出来るわけです。あなたが、もし、改心して、あなたのほうから、真面目《まじめ》に私に相談を持ちかけてくれたら、私も考えてみ

ます。」

ヒラメの話方には、いや、世の中の全部の人の話方には、このようにややこしく、どこか朦朧《もうろう》として、逃腰《にげごし》とでもいったみたいな微妙《びみょう》な複雑さがあり、そのほとんど無益と思われるくらいの厳重な警戒と、無数といっていいくらいの小うるさい駈引《かけひき》とには、いつも自分は当惑《とうわく》し、どうでもいいやという気分になって、お道化で茶化したり、または無言の首肯《しゅこう》で一さいおまかせという、謂《い》わば敗北の態度をとってしまうのでした。

この時もヒラメが、自分に向って、だいたい次のように簡単に報告すれば、それですむ事だったのを自分は後年に到《いた》って知り、ヒラメの不必要な用心、いや、世の中の人たちの不可解な見栄《みえ》、おていさいに、何とも陰鬱《いんうつ》な思いをしました。

ヒラメは、その時、ただこう言えばよかったのでした。

「官立でも私立でも、とにかく四月から、どこかの学校へはいりなさい。あなたの生活費は、学校へはいると、くにから、もっと充分《じゅうぶん》に送って来る事になっているのです。」

ずっと後になってわかったのですが、事実は、そのようになっていたのでした。そうして、自分もその言いつけに従ったでしょう。それなのに、ヒラメのいやに用心深く持って廻った言い方のために、妙にこじれ、自分の生きて行く方向もまるで変ってしまったのです。

「真面目《まじめ》に私に相談を持ちかけてくれる気持が無ければ、仕様がないですが。」

「どんな相談？」

自分には、本当に何も見当がつかなかったのです。

「それは、あなたの胸にある事でしょう？」

「たとえば？」

「たとえばって、あなた自身、これからどうする気なんです。」

「働いたほうが、いいんですか？」

「いや、あなたの気持は、いったいどうなんです。」

「だって、学校へはいるといったって、……」

「そりゃ、お金が要《い》ります。しかし、問題は、お金でない。あなたの気持です。」

お金は、くにから来る事になっているんだから、となぜ一こと、言わなかったのでしょう。その一言に依《よ》って、自分の気持も、きまった筈《はず》なのに、自分には、ただ五里霧中《ごりむちゅう》でした。

「どうですか？　何か、将来の希望、とでもいったものが、あるんですか？　いったい、どうも、ひとをひとり世話しているというのは、どれだけむずかしいものだか、世話されているひとには、わかりますまい。」

「すみません。」

「そりゃ実に、心配なものです。私も、いったんあなたの世話を引受けた以上、あなたにも、生半可《なまはんか》な気持でいてもらいたくないのです。立派に更生《こうせい》の道をたどる、という覚悟《かくご》のほどを見せてもらいたいのです。たとえば、あなたの将来の方針、それに就いてあなたのほうから私に、まじめに相談を持ちかけて来たなら、私もその相談には応ずるつもりでいます。それは、どうせこんな、貧乏《びんぼう》なヒラメの援助《えんじょ》なのですから、以前のようなぜいたくを望んだら、あてがはずれます。しかし、あなたの気持がしっかりしていて、将来の方針をはっきり打《う》ち樹《た》て、そうして私に相談をしてくれたら、私は、たといわずかずつでも、あなたの更生のために、お手伝いしようとさえ思っているんです。わかりますか？　私の気持が。いったい、あなたは、これから、どうするつもりでいるのです。」

「ここの二階に、置いてもらえなかったら、働いて、……」

「本気で、そんな事を言っているのですか？　いまのこの世の中に、たとい帝国大学校を出たって、……」

「いいえ、サラリイマンになるんでは無いんです。」

「それじゃ、何です。」

「画家です。」

思い切って、それを言いました。

「へええ？」

自分は、その時の、頸《くび》をちぢめて笑ったヒラメの顔の、いかにもずるそうな影《かげ》を忘れる事が出来ません。軽蔑の影にも似て、それとも違《ちが》い、世の中を海にたとえると、その海の千尋《ちひろ》の深さの箇所《かしょ》に、そんな奇妙《きみょう》な影がたゆとうていそうで、何か、おとなの生活の奥底をチラと覗《のぞ》かせたような笑いでした。

そんな事では話にも何もならぬ、ちっとも気持がしっかりしていない、考えなさい、今夜一晩まじめに考えてみなさい、と言われ、自分は追われるように二階に上って、寝《ね》ても、別に何の考えも浮《うか》びませんでした。そうして、あけがたになり、ヒラメの家から逃げました。

夕方、間違いなく帰ります。左記の友人の許《もと》へ、将来の方針に就いて相談に行って来るのですから、御《ご》心配《しんぱい》無く。ほんとうに。

と、用箋《ようせん》に鉛筆《えんぴつ》で大きく書き、それから、浅草の堀木正雄の住所姓名《せいめい》を記して、こっそり、ヒラメの家を出ました。

ヒラメに説教せられたのが、くやしくて逃げたわけではありませんでした。まさしく自分は、ヒラメの言うとおり、気持のしっかりしていない男で、将来の方針も何も自分にはまるで見当がつかず、この上、ヒラメの家のやっかいになっているのは、ヒラメにも気の毒ですし、そのうちに、もし万一、自分にも発奮の気持が起り、志を立てたところで、その更生資金をあの貧乏なヒラメから月々援助せられるのかと思うと、とても心苦しくて、いたたまらない気持になったからでした。

しかし、自分は、所謂《いわゆる》「将来の方針」を、堀木ごときに、相談に行こうなどと本気に思って、ヒラメの家を出たのでは無かったのでした。それは、ただ、わずかでも、つかのまでも、ヒラメに安心させて置きたくて、（その間に自分が、少しでも遠くへ逃げのびていたいという探偵《たんてい》小説的な策略から、そんな置手紙を書いた、というよりは、いや、そんな気持も幽《かす》かにあったに違いないのですが、それよりも、やはり自分は、いきなりヒラメにショックを与《あた》え、彼を混乱当惑させてしまうのが、おそろしかったばかりに、とでも言ったほうが、いくらか正確かも知れません。どうせ、ばれるにきまっているのに、そのとおりに言うのが、おそろしくて、必ず何かしら飾《かざ》りをつけるのが、自分の哀《かな》しい性癖《せいへき》の一つで、それは世間の人が「嘘《うそ》つき」と呼んで卑《いや》しめている性格に似ていながら、しかし、自分は自分に利益をもたらそうとしてその飾りつけを行った事はほとんど無く、ただ雰囲気《ふんいき》の興覚めた一変が、窒息《ちっそく》するくらいにおそろしくて、後で自分に不利益になるという事がわかっていても、れいの自分の「必死の奉仕」それはたといゆがめられ微弱《びじゃく》で、馬鹿《ばか》らしいものであろうと、その奉仕の気持から、つい一言の飾りつけをしてしまうという場合が多かったような気もするのですが、しかし、この習性もまた、世間の所謂「正直者」たちから、大いに乗ぜられるところとなりました）その時、ふっと、記憶《きおく》の底から浮《うか》んで来たままに堀木の住所と姓名を、用箋の端《はし》にしたためたまでの事だったのです。

自分はヒラメの家を出て、新宿まで歩き、懐中《かいちゅう》の本を売り、そうして、やっぱり途方《とほう》にくれてしまいました。自分は、皆《みな》にあいそがいいかわりに、「友情」というものを、いちども実感した事が無く、堀木のような遊び友達は別として、いっさいの附《つ》き合《あ》いは、ただ苦痛を覚えるばかりで、その苦痛をもみほぐそうとして懸命《けんめい》にお道化を演じて、かえって、へとへとになり、わずかに知合っているひとの顔を、それに似た顔をさえ、往来などで見掛《みか》けても、ぎょっとして、一瞬《いっしゅん》、めまいするほどの不快な戦慄《せんりつ》に襲《おそ》われる有様で、人に好かれる事は知っていても、人を愛する能力に於《お》いては欠けているところがあるようでした。（もっとも、自分は、世の中の人間にだって、果して、「愛」の能力があるのかどうか、たいへん疑問に思っています）そのような自分に、所謂「親友」など出来る筈は無く、そのうえ自分には、「訪問《ヴィジット》」の能力さえ無かったのです。他人の家の門は、自分にとって、あの神曲の地獄《じごく》の門以上に薄気味《うすきみ》わるく、その門の奥には、おそろしい龍《りゅう》みたいな生臭《なまぐさ》い奇獣《きじゅう》がうごめいている気配を、誇張《こちょう》でなしに、実感せられていたのです。

誰《だれ》とも、附き合いが無い。どこへも、訪《たず》ねて行けない。

堀木。

それこそ、冗談《じょうだん》から駒《こま》が出た形でした。あの置手紙に、書いたとおりに、自分は浅草の堀木をたずねて行く事にしたのです。自分はこれまで、自分のほうから堀木の家をたずねて行った事は、いちども無く、たいてい電報で堀木を自分のほうに呼び寄せていたのですが、いまはその電報料さえ心細く、それに落ちぶれた身のひがみから、電報を打っただけでは、堀木は、来てくれぬかも知れぬと考えて、何よりも自分に苦手の「訪問」を決意し、溜息《ためいき》をついて市電に乗り、自分にとって、この世の中でたった一つの頼《たの》みの綱《つな》は、あの堀木なのか、と思い知ったら、何か脊筋《せすじ》の寒くなるような凄《すさま》じい気配に襲われました。

堀木は、在宅でした。汚《きたな》い露路《ろじ》の奥の、二階家で、堀木は二階のたった一部屋の六畳《じょう》を使い、下では、堀木の老父母と、それから若い職人と三人、下駄《げた》の鼻緒《はなお》を縫《ぬ》ったり叩《たた》いたりして製造しているのでした。

堀木は、その日、彼の都会人としての新しい一面を自分に見せてくれました。それは、俗《ぞく》にいうチャッカリ性でした。田舎者《いなかもの》の自分が、愕然《がくぜん》と眼《め》をみはったくらいの、冷たく、ずるいエゴイズムでした。自分のように、ただ、とめどなく流れるたちの男では無かったのです。

「お前には、全く呆《あき》れた。親爺《おやじ》さんから、お許しが出たかね。まだかい。」

逃《に》げて来た、とは、言えませんでした。

自分は、れいに依って、ごまかしました。いまに、すぐ、堀木に気附かれるに違いないのに、ごまかしました。

「それは、どうにかなるさ。」

「おい、笑いごとじゃ無いぜ。忠告するけど、馬鹿もこのへんでやめるんだな。おれは、きょうは、用事があるんだがね。この頃《ごろ》、ばかにいそがしいんだ。」

「用事って、どんな？」

「おい、おい、座《ざ》蒲《ぶ》団《とん》の糸を切らないでくれよ。」

自分は話をしながら、自分の敷《し》いている座蒲団の綴糸《とじいと》というのか、くくり紐《ひも》というのか、あの総《ふさ》のような四隅《よすみ》の糸の一つを無意識に指先でもてあそび、ぐいと引っぱったりなどしていたのでした。堀木は、堀木の家の品物なら、座蒲団の糸一本でも惜《お》しいらしく、恥《は》じる色も無く、それこそ、眼に角《かど》を立てて、自分をとがめるのでした。考えてみると、堀木は、これまで自分との附合いに於いて何一つ失ってはいなかったのです。

堀木の老母が、おしるこを二つお盆《ぼん》に載《の》せて持って来ました。

「あ、これは、」

と堀木は、しんからの孝行息子のように、老母に向って恐縮《きょうしゅく》し、言葉づかいも不自然なくらい丁寧《ていねい》に、

「すみません、おしるこですか。豪気《ごうき》だなあ。こんな心配は、要《い》らなかったんですよ。用事で、すぐ外出しなけれゃいけないんですから。いいえ、でも、せっかくの御自慢《ごじまん》のおしるこを、もったいない。いただきます。お前も一つ、どうだい。おふくろが、わざわざ作ってくれたんだ。ああ、こいつぁ、うめえや。豪気だなあ。」

と、まんざら芝居《しばい》でも無いみたいに、ひどく喜び、おいしそうに食べるのです。自分もそれを啜《すす》りましたが、お湯のにおいがして、そうして、お餅《もち》をたべたら、それはお餅でなく、自分にはわからないものでした。決して、その貧しさを軽蔑《けいべつ》したのではありません。（自分は、その時それを、不味《まず》いとは思いませんでしたし、また、老母の心づくしも身にしみました。自分には、貧しさへの恐怖《きょうふ》感はあっても、軽蔑感は、無いつもりでいます）あのおしること、それから、そのおしるこを喜ぶ堀木に依《よ》って、自分は、都会人のつましい本性、また、内と外をちゃんと区別していとなんでいる東京の人の家庭の実体を見せつけられ、内も外も変りなく、ただのべつ幕無しに人間の生活から逃げ廻《まわ》ってばかりいる薄馬鹿の自分ひとりだけ完全に取残され、堀木にさえ見捨てられたような気配に、狼狽《ろうばい》し、おしるこのはげた塗箸《ぬりばし》をあつかいながら、たまらなく侘《わ》びしい思いをしたという事を、記して置きたいだ

けなのです。

「わるいけど、おれは、きょうは用事があるんでね。」

堀木は立って、上衣《うわぎ》を着ながらそう言い、

「失敬するぜ、わるいけど。」

その時、堀木に女の訪問者があり、自分の身の上も急転しました。

堀木は、にわかに活気づいて、

「や、すみません。いまね、あなたのほうへお伺《うかが》いしようと思っていたのですがね、このひとが突然《とつぜん》やって来て、いや、かまわないんです。さあ、どうぞ。」

よほど、あわてているらしく、自分が自分の敷いている座蒲団をはずして裏がえしにして差し出したのを引ったくって、また裏がえしにして、その女のひとにすすめました。部屋には、堀木の座蒲団の他《ほか》には、客座蒲団がたった一枚しか無かったのです。

女のひとは痩《や》せて、脊の高いひとでした。その座蒲団は傍《かたわら》にのけて、入口ちかくの片隅に坐《すわ》りました。

自分は、ぼんやり二人の会話を聞いていました。女は雑誌社のひとのようで、堀木にカットだか、何だかをかねて頼んでいたらしく、それを受取りに来たみたいな具合いでした。

「いそぎますので。」

「出来ています。もうとっくに出来ています。これです、どうぞ。」

電報が来ました。

堀木が、それを読み、上機嫌《きげん》のその顔がみるみる険悪になり、

「ちぇっ！　お前、こりゃ、どうしたんだい。」

ヒラメからの電報でした。

「とにかく、すぐに帰ってくれ。おれが、お前を送りとどけるといいんだろうが、おれにはいま、そんなひまは、無《ね》えや。家出していながら、その、のんきそうな面《つら》ったら。」

「お宅は、どちらなのですか？」

「大久保です。」

ふいと答えてしまいました。

「そんなら、社の近くですから。」

女は、甲州《こうしゅう》の生れで二十八歳でした。五つになる女児と、高円寺《こうえんじ》のアパートに住んでいました。夫と死別して、三年になると言っていました。

「あなたは、ずいぶん苦労して育って来たみたいなひとね。よく気がきくわ。可哀《かわい》そうに。」

はじめて、男めかけみたいな生活をしました。シヅ子（というのが、その女記者の名前でした）が新宿の雑誌社に勤めに出たあとは、自分とそれからシゲ子という五つの女児と二人、おとなしくお留守番という事になりました。それまでは、母の留守には、シゲ子はアパートの管理人の部屋で遊んでいたようでしたが、「気のきく」おじさんが遊び相手として現われたので、大いに御機嫌がいい様子でした。

一週間ほど、ぼんやり、自分はそこにいました。アパートの窓のすぐ近くの電線に、奴凧《やっこだこ》が一つひっからまっていて、春のほこり風に吹《ふ》かれ、破られ、それでもなかなか、しっこく電線にからみついて離《はな》れず、何やら首肯《うなず》いたりなんかしているので、自分はそれを見る度毎《たびごと》に苦笑《くしょう》し、赤面し、夢にさえ見て、うなされました。

「お金が、ほしいな。」

「……いくら位？」

「たくさん。……金の切れ目が、縁《えん》の切れ目、って、本当の事だよ。」

「ばからしい。そんな、古くさい、……」

「そう？　しかし、君には、わからないんだ。このままでは、僕は、逃げる事になるかも知れない。」

「いったい、どっちが貧乏《びんぼう》なのよ。そうして、どっちが逃げるのよ。へんねえ。」

「自分でかせいで、そのお金で、お酒、いや、煙草《たばこ》を買いたい。絵だって僕は、堀木なんかより、ずっと上手なつもりなんだ。」

このような時、自分の脳裡《のうり》におのずから浮《う》かびあがって来るものは、あの中学時代に画《か》いた竹一の所謂《いわゆる》「お化け」の、数枚の自画像でした。失われた傑作《けっさく》。それは、たびたびの引越《ひっこ》しの間に、失われてしまっていたのですが、あれだけは、たしかに優《すぐ》れている絵だったような気がするのです。その後、さまざま画いてみても、その思い出の中の逸品《いっぴん》には、遠く遠く及《およ》ばず、自分はいつも、胸がからっぽになるような、だるい喪失感《そうしつかん》になやまされ続けて来たのでした。

飲み残した一杯のアブサン。*

自分は、その永遠に償《つぐな》い難《がた》いような喪失感を、こっそりそう形容していました。絵の話が出ると、自分の眼前に、その飲み残した一杯のアブサンがちらついて来て、ああ、あの絵をこのひとに見せてやりたい、そうして、自分の画才を信じさせたい、という焦燥《しょうそう》にもだえるのでした。

「ふふ、どうだか。あなたは、まじめな顔をして冗談《じょうだん》を言うから可愛《かわい》い。」

冗談ではないのだ、本当なんだ、ああ、あの絵を見せてやりたい、と空転の煩悶《はんもん》をして、ふいと気をかえ、あきらめて、

「漫画《まんが》さ。すくなくとも、漫画なら、堀木よりは、うまいつもりだ。」

その、ごまかしの道化の言葉のほうが、かえってまじめに信ぜられました。

「そうね。私も、実は感心していたの。シゲ子にいつもかいてやっている漫画、つい私まで噴《ふ》き出してしまう。やってみたら、どう？　私の社の編輯長《へんしゅうちょう》に、たのんでみてあげてもいいわ。」

その社では、子供相手のあまり名前を知られていない月刊の雑誌を発行していたのでした。

……あなたを見ると、たいていの女のひとは、何かしてあげたくて、たまらなくなる。……いつも、おどおどしていて、それでいて、滑稽家《こっけいか》なんだもの。……時たま、ひとりで、ひどく沈《しず》んでいるけれども、そのさまが、いっそう女のひとの心を、かゆがらせる。

シヅ子に、そのほかさまざまの事を言われて、おだてられても、それが即《すなわ》ち男めかけのけがらわしい特質なのだ、と思えば、それこそいよいよ「沈む」ばかりで、一向に元気が出ず、女よりは金、とにかくシヅ子からのがれて自活したいとひそかに念じ、工夫《くふう》しているものの、かえってだんだんシヅ子にたよらなければならぬ破目になって、家出の後仕末やら何やら、ほとんど全部、この男まさりの甲州女の世話を受け、いっそう自分は、シヅ子に対し、所謂「おどおど」しなければならぬ結果になったのでした。

シヅ子の取計らいで、ヒラメ、堀木、それにシヅ子、三人の会談が成立して、自分は、故郷から全く絶縁せられ、そうしてシヅ子と「天下晴れて」同棲《どうせい》という事になり、これまた、シヅ子の奔走《ほんそう》のおかげで自分の漫画も案外お金になって、自分はそのお金で、お酒も、煙草も買いましたが、自分の心細さ、うっとうしさは、いよいよつのるばかりなのでした。それこそ「沈み」に「沈み」切って、シヅ子の雑誌の毎月の連載《れんさい》漫画「キンタさんとオタさんの冒険《ぼうけん》」を画いていると、ふいと故郷の家が思い出され、あまりの侘《わ》びしさに、ペンが動かなくなり、うつむいて涙《なみだ》をこぼした事もありました。

そういう時の自分にとって、幽《かす》かな救いは、シゲ子でした。シゲ子は、その頃《ころ》になって自分の事を、何もこだわらずに「お父《とう》ちゃん」と呼んでいました。

「お父ちゃん。お祈《いの》りをすると、神様が、何でも下さるって、ほんとう？」

自分こそ、そのお祈りをしたいと思いました。

ああ、われに冷き意志を与《あた》え給え。われに、「人間」の本質を知らしめ給《たま》え。人が人を押しのけても、罪ならずや。われに、怒《いか》りのマスクを与え給え。

「うん、そう。シゲちゃんには何でも下さるだろうけれども、お父ちゃんには、駄《だ》目《め》かも知れない。」

自分は神にさえ、おびえていました。神の愛は信ぜられず、神の罰《ばつ》だけを信じているのでした。信仰《しんこう》。それは、ただ神の笞《むち》を受けるために、うなだれて審判《しんぱん》の台に向う事のような気がしているのでした。地獄《じごく》は信ぜられても、天国の存在は、どうしても信ぜられなかったのです。

「どうして、ダメなの？」

「親の言いつけに、そむいたから。」

「そう？　お父ちゃんはとてもいいひとだって、みんな言うけどな。」

それは、だましているからだ、このアパートの人たち皆《みな》に、自分が好意を示されているのは、自分も知っている、しかし、自分は、どれほど皆を恐怖《きょうふ》しているか、恐怖すればするほど好かれ、そうして、こちらは好かれると好かれるほど恐怖し、皆から離れて行かねばならぬ、この不幸な病癖《びょうへき》を、シゲ子に説明して聞かせるのは、至難の事でした。

「シゲちゃんは、いったい、神様に何をおねだりしたいの？」

自分は、何気無さそうに話頭《わとう》を転じました。

「シゲ子はね、シゲ子の本当のお父ちゃんがほしいの。」

ぎょっとして、くらくら目まいしました。敵。自分がシゲ子の敵なのか、シゲ子が自分の敵なのか、とにかく、ここにも自分をおびやかすおそろしい大人《おとな》がいたのだ、他人、不可解な他人、秘密だらけの他人、シゲ子の顔が、にわかにそのように見えて来ました。

シゲ子だけは、と思っていたのに、やはり、この者も、あの「不意に虻《あぶ》を叩《たた》き殺す牛のしっぽ」を持っていたのでした。自分は、それ以来、シゲ子にさえおどおどしなければならなくなりました。

「色魔《しきま》！　いるかい？」

堀木が、また自分のところへたずねて来るようになっていたのです。あの家出の日に、あれほど自分を淋《さみ》しくさせた男なのに、それでも自分は拒否《きよひ》できず、幽かに笑って迎《むか》えるのでした。

「お前の漫画は、なかなか人気が出ているそうじゃないか。アマチュアには、こわいもの知らずの糞度胸《くそどきよう》があるからかなわねえ。しかし、油断するなよ。デッサンが、ちっともなってやしないんだから。」

お師匠《ししよう》みたいな態度をさえ示すのです。自分のあの「お化け」の絵を、こいつに見せたら、どんな顔をするだろう、とれいの空転の身悶《みもだ》えをしながら、

「それを言ってくれるな。ぎゃっという悲鳴が出る。」

堀木は、いよいよ得意そうに、

「世渡《よわた》りの才能だけでは、いつかは、ボロが出るからな。」

世渡りの才能。……自分には、ほんとうに苦笑《くしよう》の他《ほか》はありませんでした。自分に、世渡りの才能！　しかし、自分のように人間をおそれ、避《さ》け、ごまかしているのは、

れいの俗諺《ぞくげん》の「さわらぬ神にたたりなし」とかいう怜悧《れいり》狡猾《こうかつ》の処生訓を遵奉《じゅんぽう》しているのと、同じ形だ、という事になるのでしょうか。ああ、人間は、お互《たが》い何も相手をわからない、まるっきり間違《まち》って見ていながら、無二の親友のつもりでいて、一生、それに気附《きづ》かず、相手が死ねば、泣いて弔詞《ちょうじ》なんかを読んでいるのではないでしょうか。

堀木は、何せ、(それはシヅ子に押してたのまれてしぶしぶ引受けたに違いないのですが)自分の家出の後仕末に立ち合ったひとなので、まるでもう、自分の更生《こうせい》の大恩人か、月下氷人*のように振舞《ふるま》い、もっともらしい顔をして自分にお説教めいた事を言ったり、また、深夜、酔《よ》っぱらって訪問して泊《とま》ったり、また、五円(きまって五円でした)借りて行ったりするのでした。

「しかし、お前の、女道楽もこのへんでよすんだね。これ以上は、世間が、ゆるさないからな。」

世間とは、いったい、何の事でしょう。人間の複数でしょうか。どこに、その世間というものの実体があるのでしょう。けれども、何しろ、強く、きびしく、こわいもの、とばかり思ってこれまで生きて来たのですが、しかし、堀木にそう言われて、ふと、

「世間というのは、君じゃないか。」

という言葉が、舌の先まで出かかって、堀木を怒《おこ》らせるのがイヤで、ひっこめました。

(それは世間が、ゆるさない。)

(世間じゃない。あなたが、ゆるさないのでしょう?)

(そんな事をすると、世間からひどいめに逢《あ》うぞ。)

(世間じゃない。あなたでしょう?)

(いまに世間から葬《ほうむ》られる。)

(世間じゃない。葬るのは、あなたでしょう?)

汝《なんじ》は、汝個人のおそろしさ、怪奇《かいき》、悪辣《あくらつ》、古狸性《ふるだぬきせい》、妖婆性《ようばせい》を知れ! などと、さまざまの言葉が胸中に去来したのですが、自分は、ただ顔の汗《あせ》をハンケチで拭《ふ》いて、

「冷汗《ひやあせ》、冷汗。」

と言って笑っただけでした。

けれども、その時以来、自分は、(世間とは個人じゃないか)という、思想めいたものを持つようになったのです。

そうして、世間というものは、個人ではなかろうかと思いはじめてから、自分は、いままでよりは多少、自分の意志で動く事が出来るようになりました。シヅ子の言葉を借りて言えば、自分は少しわがままになり、おどおどしなくなりました。また、

堀木の言葉を借りて言えば、へんにケチになりました。また、シゲ子の言葉を借りて言えば、あまりシゲ子を可愛《かわい》がらなくなりました。

無口で、笑わず、毎日毎日、シゲ子のおもりをしながら、「キンタさんとオタさんの冒険」やら、またノンキなトウサンの歴然たる亜流《ありゅう》の「ノンキ和尚《おしょう》」やら、また、「セッカチピンチャン」という自分ながらわけのわからぬヤケクソの題の連載漫画《まんが》やらを、各社の御注文《ごちゅうもん》（ぽつりぽつり、シヅ子の社の他《ほか》からも注文が来るようになっていましたが、すべてそれは、シヅ子の社よりも、もっと下品な謂《い》わば三流出版社からの注文ばかりでした）に応じ、実に実に陰鬱《いんうつ》な気持で、のろのろと、（自分の画の運筆《え》は、非常におそいほうでした）いまはただ、酒代がほしいばかりに画《か》いて、そうして、シヅ子が社から帰るとそれと交代にぷいと外へ出て、高円寺の駅近くの屋台やスタンド・バアで安くて強い酒を飲み、少し陽気になってアパートへ帰り、

「見れば見るほど、へんな顔をしているねえ、お前は。ノンキ和尚の顔は、実は、お前の寝顔《ねがお》からヒントを得たのだ。」

「あなたの寝顔だって、ずいぶんお老《ふ》けになりましてよ。四十男みたい。」

「お前のせいだ。吸い取られたんだ。水の流れと、人の身はあサ。何をくよくよ川《かわ》端《ばた》やなあぎいサ。」

「騒《さわ》がないで、早くおやすみなさいよ。それとも、ごはんをあがりますか？」

落ちついていて、まるで相手にしません。

「酒なら飲むがね。水の流れと、人の身はあサ。人の流れと、いや、水の流れえと、水の身はあサ。」

唄《うた》いながら、シヅ子に衣服をぬがせられ、シヅ子の胸に自分の額を押しつけて眠《ねむ》ってしまう、それが自分の日常でした。

してその翌日《あくるひ》も同じ事を繰返《くりかえ》して、
昨日《きのう》に異《かわ》らぬ慣例《しきたり》に従えばよい。
即《すなわ》ち荒《あら》っぽい大きな歓楽《よろこび》を避《よ》けてさえいれば、
自然また大きな悲哀《かなしみ》もやって来《こ》ないのだ。
ゆくてを塞《ふさ》ぐ邪魔《じゃま》な石を
蟾蜍《ひきがえる》は廻《まわ》って通る。

上田敏訳のギイ・シャルル・クロオ*とかいうひとの、こんな詩句を見つけた時、自分はひとりで顔を燃えるくらいに赤くしました。

蟾蜍《ひきがえる》。

（それが、自分だ。世間がゆるすも、ゆるさぬもない。葬むるも、葬むらぬもない。自分は、犬よりも猫《ねこ》よりも劣等《れっとう》な動物なのだ。蟾蜍。のそのそ動いているだけだ。）

自分の飲酒は、次第《しだい》に量がふえて来ました。高円寺駅附近《ふきん》だけでなく、新宿、銀座のほうにまで出かけて飲み、外泊《がいはく》する事さえあり、ただもう「慣例《しきたり》」に従わぬよう、バアで無頼漢《ぶらいかん》の振《ふ》りをしたり、片端《かたはし》からキスしたり、つまり、また、あの情死以前の、いや、あの頃《ころ》よりさらに荒《すさ》んで野卑《やひ》な酒飲みになり、金に窮《きゅう》して、シヅ子の衣類を持ち出すほどになりました。

ここへ来て、あの破れた奴凧《やっこだこ》に苦笑してから一年以上経《た》って、葉桜の頃、自分は、またもシヅ子の帯やら襦袢《じゅばん》やらをこっそり持ち出して質屋に行き、お金を作って銀座で飲み、二晩つづけて外泊して、三日目の晩、さすがに具合い悪い思いで、無意識に足音をしのばせて、アパートのシヅ子の部屋の前まで来ると、中から、シヅ子とシゲ子の会話が聞えます。

「なぜ、お酒を飲むの？」

「お父ちゃんはね、お酒を好きで飲んでいるのでは、ないんですよ。あんまりいいひとだから、だから、……」

「いいひとは、お酒を飲むの？」

「そうでもないけど、……」

「お父ちゃんは、きっと、びっくりするわね。」

「おきらいかも知れない。ほら、ほら、箱から飛び出した。」

「セッカチピンチャンみたいね。」

「そうねえ。」

シヅ子の、しんから幸福そうな低い笑い声が聞えました。

自分が、ドアを細くあけて中をのぞいて見ますと、白兎《しろうさぎ》の子でした。ぴょんぴょん部屋中を、はね廻り、親子はそれを追っていました。

(幸福なんだ、この人たちは。自分という馬鹿者が、この二人のあいだにはいって、いまに二人を滅茶苦茶《めちゃくちゃ》にするのだ。つつましい幸福。いい親子。幸福を、ああ、もし神様が、自分のような者の祈《いの》りでも聞いてくれるなら、いちどだけ、生涯《しょうがい》にいちどだけでいい、祈る。)

自分は、そこにうずくまって合掌《がっしょう》したい気持でした。そっと、ドアを閉《し》め、自分は、また銀座に行き、それっきり、そのアパートには帰りませんでした。

そうして、京橋のすぐ近くのスタンド・バアの二階に自分は、またも男めかけの形で、寝そべる事になりました。

世間。どうやら自分にも、それがぼんやりわかりかけて来たような気がしていました。個人と個人の争いで、しかも、その場の争いで、しかも、その場で勝てばいいのだ、人間は決して人間に服従しない、奴隷《どれい》でさえ奴隷らしい卑屈《ひくつ》なシッペがえしをするものだ、だから、人間にはその場の一本勝負にたよる他、生き伸びる工夫《くふう》がつかぬのだ、大義名分らしいものを称《とな》えていながら、努力の目標は必ず個人、個人を乗り越《こ》えてまた個人、世間の難解は、個人の難解、大洋《オーシャン》は世間でなくて、個人なのだ、と世の中という大海の幻影《げんえい》におびえる事から、多少解放せられて、以前ほど、あれこれと際限の無い心遣《づか》いする事なく、謂わば差し当っての必要に応じて、いくぶん図々《ずうずう》しく振舞《ふるま》う事を覚えて来たのです。

高円寺のアパートを捨て、京橋のスタンド・バアのマダムに、

「わかれて来た。」

それだけ言って、それで充分《じゅうぶん》、つまり一本勝負はきまって、その夜から、自分は乱暴にもそこの二階に泊《と》まり込む事になったのですが、しかし、おそろしい筈《はず》の「世間」は、自分に何の危害も加えませんでしたし、また自分も「世間」に対して何の弁明もしませんでした。マダムが、その気だったら、それですべてがいいのでした。

自分は、その店のお客のようでもあり、亭主《ていしゅ》のようでもあり、走り使いのようでもあり、親戚《しんせき》の者のようでもあり、はたから見て甚《はなは》だ得態《えたい》の知れない存在だった筈なのに、「世間」は少しもあやしまず、そうしてその店の常連たちも、自分を、葉ちゃん、葉ちゃんと呼んで、ひどく優《やさ》しく扱《あつか》い、そうしてお酒を飲ませてくれるの

でした。

自分は世の中に対して、次第《しだい》に用心しなくなりました。世の中というところは、そんなに、おそろしいところでは無い、と思うようになりました。つまり、これまでの自分の恐怖《きょうふ》感は、春の風には百日咳《ひゃくにちぜき》の黴菌《ばいきん》が何十万、銭湯には、目のつぶれる黴菌が何十万、床屋《とこや》には禿頭病《とくとうびょう》の黴菌が何十万、省線の吊皮《つりかわ》には疥癬《かいせん》の虫がうようよ、または、おさしみ、牛豚肉《ぎゅうぶたにく》の生焼けには、さなだ虫の幼虫やら、ジストマやら、何やらの卵などが必ずひそんでいて、また、はだしで歩くと足の裏からガラスの小さい破片がはいって、その破片が体内を駈《か》けめぐり眼玉《めだま》を突《つ》いて失明させる事もあるとかいう謂わば「科学の迷信《めいしん》」におびやかされていたようなものなのでした。それは、たしかに何十万もの黴菌の浮《うか》び泳ぎうごめいているのは、「科学的」にも、正確な事でしょう。と同時に、その存在を完全に黙殺《もくさつ》さえすれば、それは自分とみじんのつながりも無くなってたちまち消え失《う》せる「科学の幽霊《ゆうれい》」に過ぎないのだという事をも、自分は知るようになったのです。お弁当箱に食べ残しのごはん三粒《つぶ》、千万人が一日に三粒ずつ食べ残しても既《すで》にそれは、米何俵をむだに捨てた事になる、とか、或《ある》いは、一日に鼻紙一枚の節約を千万人が行うならば、どれだけのパルプが浮くか、などという「科学的統計」に、自分は、どれだけおびやかされ、ごはんを一粒でも食べ残す度毎《たびごと》に、また鼻をかむ度毎に、山ほどの米、山ほどのパルプを空費するような錯覚《さっかく》に悩《なや》み、自分がいま重大な罪を犯《おか》しているみたいな暗い気持になったものですが、しかし、それこそ「科学の嘘《うそ》」「統計の嘘」「数学の嘘」で、三粒のごはんは集められるものでなく、掛算《かけざん》割算の応用問題としても、まことに原始的で低能なテーマで、電気のついてない暗いお便所の、あの穴に人は何度にいちど片《かた》脚《あし》を踏《ふ》みはずして落下させるか、または、省線電車の出入口と、プラットホームの縁《へり》とのあの隙間《すきま》に、乗客の何人中の何人が足を落とし込むか、そんなプロバビリティを計算するのと同じ程度にばからしく、それは如何《いか》にも有り得《う》る事のようでもありながら、お便所の穴をまたぎそこねて怪我《けが》をしたという例は、少しも聞かないし、そんな仮説を「科学的事実」として教え込まれ、それを全く現実として受取り、恐怖していた昨日までの自分をいとおしく思い、笑いたく思ったくらいに、自分は、世の中というものの実体を少しずつ知って来たというわけなのでした。

そうは言っても、やはり人間というものが、まだまだ、自分にはおそろしく、店のお客と逢《あ》うのにも、お酒をコップで一杯ぐいと飲んでからでなければいけませんでした。こわいもの見たさ。自分は、毎晩、それでもお店に出て、子供が、実は少しこわがっている小動物などを、かえって強くぎゅっと握《にぎ》ってしまうみたいに、店のお客に向って酔《よ》ってつたない芸術論を吹《ふ》きかけるようにさえなりました。

漫画《まんが》家《か》。ああ、しかし、自分は、大きな歓楽《よろこび》も、また、大きな悲哀《かなしみ》もない無名の漫画家。いかに大きな悲哀《かなしみ》があとでやって来てもいい、荒っぽい大きな歓楽《よろこび》が欲しいと内心あせってはいても、自分の現在のよろこびたるや、お客とむだ事を言い合い、お客の酒を飲む事だけでした。

京橋へ来て、こういうくだらない生活を既《すで》に一年ちかく続け、自分の漫画も、子供相手の雑誌だけでなく、駅売りの粗悪《そあく》で卑猥《ひわい》な雑誌などにも載《の》るようになり、自分は、上司幾太（情死、生きた）という、ふざけ切った匿名《とくめい》で、汚《きたな》いはだかの絵など画き、それにたいていルバイヤット*の詩句を挿入《そうにゅう》しました。

無駄《むだ》な御祈《おいの》りなんか止《よ》せったら
涙を誘《さそ》うものなんか　かなぐりすてろ
まァ一杯いこう　好《よ》いことばかり思出して
よけいな心づかいなんか忘れっちまいな

不安や恐怖もて人を脅《おび》やかす奴輩《やから》は
自《みずから》の作りし大それた罪に怯《おび》え
死にしものの復讐《ふくしゅう》に備《そな》えんと
自《みずから》の頭にたえず計いを為《な》す

よべ　酒充《み》ちて我ハートは喜びに充ち
けさ　さめて只《ただ》に荒涼《こうりょう》
いぶかし　一夜《ひとよ》さの中
様変りたる此《この》気分よ

祟《たた》りなんて思うこと止めてくれ
遠くから響《ひび》く太鼓《たいこ》のように
何がなしそいつは不安だ
屁《へ》ひったこと迄《まで》一々罪に勘定《かんじょう》されたら助からんわい

正義は人生の指針たりとや？
さらば血に塗《ぬ》られたる戦場に
暗殺者の切尖《きっさき》に
何の正義か宿れるや？

いずこに指導原理ありや？

いかなる叡智《えいち》の光ありや？
美《うる》わしくも怖《おそろ》しきは浮世《うきよ》なれ
かよわき人の子は背負切れぬ荷をば負わされ

どうにもできない情慾《じょうよく》の種子を植えつけられた許《ばか》りに
善だ悪だ罪だ罰《ばつ》だと呪《のろ》わるるばかり
どうにもできない只まごつくばかり
抑《おさ》え摧《くだ》く力も意志も授《さず》けられぬ許りに

どこをどう彷徨《うろつき》まわってたんだい
ナニ批判　検討　再認識？
ヘッ　空《むな》しき夢を　ありもしない幻《まぼろし》を
エヘッ　酒を忘れたんで　みんな虚仮《こけ》の思案さ

どうだ　此涯《このはて》もない大空を御覧よ
此中にポッチリ浮んだ点じゃい
此地球が何んで自転するのか分るもんか

自転　公転　反転も勝手ですわい
至る処《ところ》に　至高の力を感じ
あらゆる国にあらゆる民族に
同一の人間性を発見する
我は異端者《いたんしゃ》なりとかや

みんな聖経をよみ違《ちが》えてんのよ
でなきゃ常識も智慧《ちえ》もないのよ
生身《いきみ》の喜びを禁じたり　酒を止《や》めたり
いいわ　ムスタッファ　わたしそんなの　大嫌い

けれども、その頃《ころ》、自分に酒を止《や》めよ、とすすめる処女がいました。「いけないわ、毎日、お昼から、酔っていらっしゃる。」バアの向いの、小さい煙草屋《たばこや》の十七、八の娘《むすめ》でした。ヨシちゃんと言い、色の白い、八重歯《やえば》のある子でした。自分が、煙草を買いに行くたびに、笑って忠告するのでした。

「なぜ、いけないんだ。どうして悪いんだ。あるだけの酒をのんで、人の子よ、憎《ぞう》悪《お》を消せ消せ消せ、ってね、むかしペルシャのね、まあよそう、悲しみ疲《つか》れたるハートに希望を持ち来《きた》すは、ただ微《び》醺《くん》をもたらす玉杯《ぎょくはい》なれ、ってね。わかるかい。」

「わからない。」

「この野《や》郎《ろう》。キスしてやるぞ。」

「してよ。」

ちっとも悪びれず下唇《したくちびる》を突《つ》き出すのです。

「馬《ば》鹿《か》野郎。貞操《ていそう》観念、……」

しかし、ヨシちゃんの表情には、あきらかに誰《だれ》にも汚されていない処女のにおいがしていました。

としが明けて厳寒の夜、自分は酔って煙草を買いに出て、その煙草屋の前のマンホールに落ちて、ヨシちゃん、たすけてくれえ、と叫《さけ》び、ヨシちゃんに引き上げられ、右腕《みぎうで》の傷の手当を、ヨシちゃんにしてもらい、その時ヨシちゃんは、しみじみ、

「飲みすぎますわよ。」

と笑わずに言いました。

自分は死ぬのは平気なんだけど、怪我《けが》をして出血してそうして不具者などになるのは、まっぴらごめんのほうですので、ヨシちゃんに腕の傷の手当をしてもらいな

がら、酒も、もういい加減によそうかしら、と思ったのです。

「やめる。あしたから、一滴《いってき》も飲まない。」

「ほんとう？」

「きっと、やめる。やめたら、ヨシちゃん、僕のお嫁《よめ》になってくれるかい？」

しかし、お嫁の件は冗談《じょうだん》でした。

「モチよ。」

モチとは、「勿論《もちろん》」の略語でした。モボだの、モガだの、その頃いろんな略語がはやっていました。

「ようし。ゲンマンしよう。きっとやめる。」

そうして翌《あく》る日、自分は、やはり昼から飲みました。

夕方、ふらふら外へ出て、ヨシちゃんの店の前に立ち、

「ヨシちゃん、ごめんね。飲んじゃった。」

「あら、いやだ。酔《よ》った振《ふ》りなんかして。」

ハッとしました。酔いもさめた気持でした。

「いや、本当なんだ。本当に飲んだのだよ。酔った振りなんかしてるんじゃない。」

「からかわないでよ。ひとがわるい。」

てんで疑おうとしないのです。

「見ればわかりそうなものだ。きょうも、お昼から飲んだのだ。ゆるしてね。」

「お芝居《しばい》が、うまいのねえ。」

「芝居じゃあないよ、馬鹿野郎。キスしてやるぞ。」

「してよ。」

「いや、僕には資格が無い。お嫁にもらうのもあきらめなくちゃならん。顔を見なさい、赤いだろう？　飲んだのだよ。」

「それあ、夕陽が当っているからよ。かつごうたって、だめよ。きのう約束したんですもの。飲む筈《はず》が無いじゃないの。ゲンマンしたんですもの。飲んだなんて、ウソ、ウソ、ウソ。」

薄暗《うすぐら》い店の中に坐《すわ》って微笑《びしょう》しているヨシちゃんの白い顔、ああ、よごれを知らぬヴァジニティ*は尊いものだ、自分は今まで、自分よりも若い処女と寝《ね》た事がない、結婚《けっこん》しよう、どんな大きな悲哀《かなしみ》がそのために後からやって来てもよい、荒《あら》っぽいほどの大きな歓楽《よろこび》を、生涯《しょうがい》にいちどでいい、処女性の美しさとは、それは馬鹿な詩人の甘い感傷の幻に過ぎぬと思っていたけれども、やはりこの世の中に生きて在るものだ、結婚して春になったら二人で自転車で青葉の滝《たき》を見に行こう、と、その場で決意し、所謂《いわゆる》「一本勝負」で、その花を盗《ぬす》むのにためらう事をしませんでした。

そうして自分たちは、やがて結婚して、それに依《よ》って得た歓楽《よろこび》は、必ずしも大きくはありませんでしたが、その後に来た悲哀《かなしみ》は、凄惨《せいさん》と言っても足りないくらい、実に想像を絶して、大きくやって来ました。自分にとって、「世の中」は、やはり底知れず、おそろしいところでした。決して、そんな一本勝負などで、何から何まできまってしまうような、なまやさしいところでも無かったのでした。

二

堀木と自分。

互《たが》いに軽蔑《けいべつ》しながら附《つ》き合い、そうして互いに自《みずか》らをくだらなくして行く、それがこの世の所謂「交友」というものの姿だとするなら、自分と堀木との間柄《あいだがら》も、まさしく「交友」に違いありませんでした。

自分があの京橋のスタンド・バアのマダムの義俠心《ぎきょうしん》にすがり、(女のひとの義俠心なんて、言葉の奇妙《きみょう》な遣《つか》い方ですが、しかし、自分の経験に依ると、少くとも都会の男女の場合、男よりも女のほうが、その、義俠心とでもいうべきものをたっぷりと持っていました。男はたいてい、おっかなびっくりで、おていさいばかり飾り、そうして、ケチでした)あの煙草屋のヨシ子を内縁《ないえん》の妻にする事が出来て、そうして築地《つきじ》、隅田《すみだ》川《がわ》の近く、木造の二階建ての小さいアパートの階下の一室を借り、ふたりで住み、酒は止めて、そろそろ自分の定った職業になりかけて来た漫画《まんが》の仕事に精を出し、夕食後は二人で映画を見に出かけ、帰りには、喫茶店《きっさてん》などにはいり、また、花の鉢《はち》を買ったりして、いや、それよりも自分をしんから信頼《しんらい》してくれているこの小さい花嫁の言葉を聞き、動作を見ているのが楽しく、これは自分もひょっとしたら、いまにだんだん人間らしいものになる事が出来て、悲惨な死に方などせずにすむのではなかろうかという甘い思いを幽《かす》かに胸にあたためはじめていた矢先に、堀木がまた自分の眼前に現われました。

「よう！ 色魔《しきま》。おや？ これでも、いくらか分別くさい顔になりやがった。きょうは、高円寺女史からのお使者なんだがね、」

と言いかけて、急に声をひそめ、お勝手でお茶の仕度《したく》をしているヨシ子のほうを顎《あご》でしゃくって、大丈夫《だいじょうぶ》かい？ とたずねますので、

「かまわない。何を言ってもいい。」

と自分は落ちついて答えました。

じっさい、ヨシ子は、信頼の天才と言いたいくらい、京橋のバアのマダムとの間はもとより、自分が鎌倉で起した事件を知らせてやっても、ツネ子との間を疑わず、それは自分が嘘《うそ》がうまいからというわけでは無く、時には、あからさまな言い方をする事さえあったのに、ヨシ子には、それがみな冗談としか聞きとれぬ様子でした。

「相変らず、しょっていやがる。なに、たいした事じゃないがね、たまには、高円

寺のほうへも遊びに来てくれっていう御伝言《ごでんごん》さ。」

忘れかけると、怪鳥《かいちょう》が羽ばたいてやって来て、記憶《きおく》の傷口をその嘴《くちばし》で突《つ》き破ります。たちまち過去の恥《はじ》と罪の記憶が、ありありと眼前に展開せられ、わあっと叫びたいほどの恐怖《きょうふ》で、坐っておられなくなるのです。

「飲もうか。」

と自分。

「よし。」

と堀木。

自分と堀木。形は、ふたり似ていました。そっくりの人間のような気がする事もありました。もちろんそれは、安い酒をあちこち飲み歩いている時だけの事でしたが、とにかく、ふたり顔を合せると、みるみる同じ形の同じ毛並の犬に変り降雪のちまたを駈《か》けめぐるという具合いになるのでした。

その日以来、自分たちは再び旧交をあたためたという形になり、京橋のあの小さいバアにも一緒《いっしょ》に行き、そうして、とうとう、高円寺のシヅ子のアパートにもその泥酔の二匹《ひき》の犬が訪問し、宿泊して帰るなどという事にさえなってしまったのです。

忘れも、しません。むし暑い夏の夜でした。堀木は日暮頃、よれよれの浴衣《ゆかた》を着て築地の自分のアパートにやって来て、きょう或《あ》る必要があって夏服を質入したが、その質入が老母に知れるとまことに具合いが悪い、すぐ受け出したいから、とにかく金を貸してくれ、という事でした。あいにく自分のところにも、お金が無かったので、例に依って、ヨシ子に言いつけ、ヨシ子の衣類を質屋に持って行かせてお金を作り、堀木に貸しても、まだ少し余るのでその残金でヨシ子に焼酎《しょうちゅう》を買わせ、アパートの屋上に行き、隅田川から時たま幽かに吹《ふ》いて来るどぶ臭《くさ》い風を受けて、まことに薄汚い納涼《のうりょう》の宴《えん》を張りました。

自分たちはその時、喜劇名詞、悲劇名詞の当てっこをはじめました。これは、自分の発明した遊戯《ゆうぎ》で、名詞には、すべて男性名詞、女性名詞、中性名詞などの別があるけれども、それと同時に、喜劇名詞、悲劇名詞の区別があって然《しか》るべきだ、たとえば、汽船と汽車はいずれも悲劇名詞で、市電とバスは、いずれも喜劇名詞、なぜそうなのか、それのわからぬ者は芸術を談ずるに足らん、喜劇に一個でも悲劇名詞をさしはさんでいる劇作家は、既《すで》にそれだけで落第、悲劇の場合もまた然り、といったようなわけなのでした。

「いいかい？　煙草《たばこ》は？」

と自分が問います。

「トラ。（悲劇《トラジディ》の略）」

と堀木が言下に答えます。

「薬は？」

「粉薬かい？　丸薬かい？」

「注射。」

「トラ。」

「そうかな？　ホルモン注射もあるしねえ。」

「いや、断然トラだ。針が第一、お前、立派なトラじゃないか。」

「よし、負けて置こう。しかし、君、薬や医者はね、あれで案外、コメ(喜劇《コメディ》の略)なんだぜ。死は？」

「コメ。牧師も和尚《おしょう》も然りじゃね。」

「大出来。そうして、生はトラだなあ。」

「ちがう。それも、コメ。」

「いや、それでは、何でもかでも皆《みな》コメになってしまう。ではね、もう一つおたずねするが、漫画家は？　よもや、コメとは言えませんでしょう？」

「トラ、トラ。大悲劇名詞！」

「なんだ、大トラは君のほうだぜ。」

こんな、下手な駄洒落《だじゃれ》みたいな事になってしまっては、つまらないのですけど、しかし自分たちはその遊戯を、世界のサロンにも嘗《か》つて存しなかった頗《すこぶ》る気のきいたものだと得意がっていたのでした。

またもう一つ、これに似た遊戯を当時、自分は発明していました。それは、対義語《アントニム》の当てっこでした。黒のアント（対義語《アントニム》の略）は、白。けれども、白のアントは、赤。赤のアントは、黒。

「花のアントは？」

と自分が問うと、堀木は口を曲げて考え、

「ええっと、花月という料理屋があったから、月だ。」

「いや、それはアントになっていない。むしろ、同義語《シノニム》だ。星と菫《すみれ》だって、シノニムじゃないか。アントでない。」

「わかった、それはね、蜂《はち》だ。」

「ハチ？」

「牡丹《ぼたん》に、……蟻《あり》か？」

「なあんだ、それは画題《モチイフ》だ。ごまかしちゃいけない。」

「わかった！　花にむら雲、……」

「月にむら雲だろう。」

「そう、そう。花に風。風だ。花のアントは、風。」

「まずいなあ、それは浪花節《なにわぶし》の文句じゃないか。おさとが知れるぜ。」

「いや、琵琶《びわ》だ。」

「なおいけない。花のアントはね、……およそこの世で最も花らしくないもの、それをこそ挙《あ》げるべきだ。」

「だから、その、……待てよ、なあんだ、女か。」

「ついでに、女のシノニムは？」

「臓物《ぞうもつ》。」

「君は、どうも、詩《ポエジイ》を知らんね。それじゃあ、臓物のアントは？」

「牛乳。」

「これは、ちょっとうまいな。その調子でもう一つ。恥。オントのアント。＊」

「恥知らずさ。流行漫画家上司幾太。」

「堀木正雄は？」

この辺から二人だんだん笑えなくなって、焼酎の酔《よ》い特有の、あのガラスの破片が頭に充満《じゅうまん》しているような、陰鬱《いんうつ》な気分になって来たのでした。

「生意気言うな。おれはまだお前のように、縄目《なわめ》の恥辱《ちじょく》など受けた事が無《ね》えんだ。」

ぎょっとしました。堀木は内心、自分を、真人間あつかいにしていなかったのだ、自分をただ、死にぞこないの、恥知らずの、阿呆《あほう》のばけものの、謂《い》わば「生ける屍《しかばね》」としか解してくれず、そうして、彼の快楽のために、自分を利用できるところだけは利用する、それっきりの「交友」だったのだ、と思ったら、さすがにいい気持はしませんでしたが、しかしまた、堀木が自分をそのように見ているのも、もっともな話で、自分は昔から、人間の資格の無いみたいな子供だったのだ、やっぱり堀木にさえ軽蔑《けいべつ》せられて至当なのかも知れない、と考え直し、

「罪。罪のアントニムは、何だろう。これは、むずかしいぞ。」

と何気無さそうな表情を装《よそお》って、言うのでした。

「法律さ。」

堀木が平然とそう答えましたので、自分は堀木の顔を見直しました。近くのビルの明滅《めいめつ》するネオンサインの赤い光を受けて、堀木の顔は、鬼《おに》刑事の如《ごと》く威厳《いげん》ありげに見えました。自分は、つくづく呆《あき》れかえり、

「罪ってのは、君、そんなものじゃないだろう。」

罪の対義語が、法律とは！　しかし、世間の人たちは、みんなそれくらいに簡単に考えて、澄《す》まして暮しているのかも知れません。刑事のいないところにこそ罪がうごめいている、と。

「それじゃあ、なんだい、神か？　お前には、どこかヤソ坊主《ぼうず》くさいところがあるからな。いや味だぜ。」

「まあそんなに、軽く片づけるなよ。も少し、二人で考えて見よう。これはでも、

面白《おもしろ》いテーマじゃないか。このテーマに対する答一つで、そのひとの全部がわかるような気がするのだ。」

「まさか。……罪のアントは、善さ。善良なる市民。つまり、おれみたいなものさ。」

「冗談《じょうだん》は、よそうよ。しかし、善は悪のアントだ。罪のアントではない。」

「悪と罪とは違《ちが》うのかい?」

「違う、と思う。善悪の概念《がいねん》は人間が作ったものだ。人間が勝手に作った道徳の言葉だ。」

「うるせえなあ。それじゃ、やっぱり、神だろう。神、神。なんでも、神にして置けば間違いない。腹がへったなあ。」

「いま、したでヨシ子がそら豆を煮《に》ている。」

「ありがてえ。好物だ。」

両手を頭のうしろに組んで、仰向《あおむけ》にごろりと寝《ね》ました。

「君には、罪というものが、まるで興味ないらしいね。」

「そりゃそうさ。お前のように、罪人では無いんだから。おれは道楽はしても、女を死なせたり、女から金を巻き上げたりなんかはしねえよ。」

死なせたのではない、巻き上げたのではない、と心の何処《どこ》かで幽《かす》かな、けれども必死の抗議《こうぎ》の声が起っても、しかし、また、いや自分が悪いのだとすぐに思いかえしてしまうこの習癖《しゅうへき》。

自分には、どうしても、正面切っての議論が出来ません。焼酎《しょうちゅう》の陰鬱な酔いのために刻一刻、気持が険《けわ》しくなって来るのを懸命《けんめい》に抑《おさ》えて、ほとんど独りごとのようにして言いました。

「しかし、牢屋《ろうや》にいれられる事だけが罪じゃないんだ。罪のアントがわかれば、罪の実体もつかめるような気がするんだけど、……神、……救い、……愛、……光、……しかし、神にはサタンというアントがあるし、救いのアントは苦悩だろうし、愛には憎しみ、光には闇《やみ》というアントがあり、善には悪、罪と祈《いの》り、罪と悔《く》い、罪と告白、罪と、……嗚呼《ああ》、みんなシノニムだ、罪の対語は何だ。」

「ツミの対語は、ミツさ。蜜《みつ》の如く甘しだ。腹がへったなあ。何か食うものを持って来いよ。」

「君が持って来たらいいじゃないか！」

ほとんど生れてはじめてと言っていいくらいの、烈《はげ》しい怒《いか》りの声が出ました。

「ようし、それじゃ、したへ行って、ヨシちゃんと二人で罪を犯《おか》して来よう。議論より実地検分。罪のアントは、蜜豆、いや、そら豆か。」

ほとんど、ろれつの廻《まわ》らぬくらいに酔っているのでした。

「勝手にしろ。どこかへ行っちまえ！」

「罪と空腹、空腹とそら豆、いや、これはシノニムか。」

出鱈目《でたらめ》を言いながら起き上りました。

罪と罰《ばつ》。ドストイエフスキイ。ちらとそれが、頭脳の片隅《かたすみ》をかすめて通り、はっと思いました。もしも、あのドスト氏が、罪と罰をシノニムと考えず、アントニムとして置き並べたものとしたら？　罪と罰、絶対に相通ぜざるもの、氷炭相容《い》れざるもの。罪と罰をアントとして考えたドストの青みどろ、腐《くさ》った池、乱麻《らんま》の奥底の、……ああ、わかりかけた、いや、まだ、……などと頭脳に走馬灯《そうまとう》がくるくる廻っていた時に、

「おい！　とんだ、そら豆だ。来い！」

堀木の声も顔色も変っています。堀木は、たったいまふらふら起きてしたへ行った、かと思うとまた引返して来たのです。

「なんだ。」

異様に殺気立ち、ふたり、屋上から二階へ降り、二階から、さらに階下の自分の部屋へ降りる階段の中途《ちゅうと》で堀木は立ち止り、

「見ろ！」

と小声で言って指差します。

自分の部屋の上の小窓があいていて、そこから部屋の中が見えます。電気がついたままで、二匹《ひき》の動物がいました。

自分は、ぐらぐら目まいしながら、これもまた人間の姿だ、これもまた人間の姿だ、おどろく事は無い、など劇《はげ》しい呼吸と共に胸の中で呟《つぶや》き、ヨシ子を助ける事も忘れ、階段に立ちつくしていました。

堀木は、大きい咳《せき》ばらいをしました。自分は、ひとり逃《に》げるようにまた屋上に駈《か》け上り、寝ころび、雨を含《ふく》んだ夏の夜空を仰ぎ、そのとき自分を襲《おそ》った感情は、怒りでも無く、嫌悪《けんお》でも無く、また、悲しみでも無く、もの凄《すさ》まじい恐怖《きょうふ》でした。それも、墓地の幽霊《ゆうれい》などに対する恐怖ではなく、神社の杉木立《すぎこだち》で白衣の御神体《ごしんたい》に逢《あ》った時に感ずるかも知れないような、四の五の言わさぬ古代の荒々《あらあら》しい恐怖感でした。自分の若白髪《わかじらが》は、その夜からはじまり、いよいよ、すべてに自信を失い、いよいよ、ひとを底知れず疑い、この世の営みに対する一さいの期待、よろこび、共鳴などから永遠にはなれるようになりました。実に、それは自分の生涯《しょうがい》に於《お》いて、決定的な事件でした。自分は、まっこうから眉間《みけん》を割られ、そうしてそれ以来その傷は、どんな人間にでも接近する毎《ごと》に痛むのでした。

「同情はするが、しかし、お前もこれで、少しは思い知ったろう。もう、おれは、二度とここへは来ないよ。まるで、地獄《じごく》だ。……でも、ヨシちゃんは、ゆるしてやれ。お前だって、どうせ、ろくな奴《やつ》じゃないんだから。失敬するぜ。」

気まずい場所に、永《なが》くとどまっているほど間《ま》の抜《ぬ》けた堀木ではありませんでした。

自分は起き上って、ひとりで焼酎を飲み、それから、おいおい声を放って泣きました。いくらでも、いくらでも泣けるのでした。

いつのまにか、背後に、ヨシ子が、そら豆を山盛りにしたお皿を持ってぼんやり立っていました。

「なんにも、しないからって言って、……」

「いい。何も言うな。お前は、ひとを疑う事を知らなかったんだ。お坐《すわ》り。豆を食べよう。」

並んで坐って豆を食べました。嗚呼《ああ》、信頼《しんらい》は罪なりや？　相手の男は、自分に漫《まん》画《が》をかかせては、わずかなお金をもったい振って置いて行く三十歳前後の無学な小男の商人なのでした。

さすがにその商人は、その後やっては来ませんでしたが、自分には、どうしてだか、その商人に対する憎悪《ぞうお》よりも、さいしょに見つけたすぐその時に大きい咳ばらいも何もせず、そのまま自分に知らせにまた屋上に引返して来た堀木に対する憎《にく》しみと怒りが、眠《ねむ》られぬ夜などにむらむら起って呻《うめ》きました。

ゆるすも、ゆるさぬもありません。ヨシ子は信頼の天才なのです。ひとを疑う事を知らなかったのです。しかし、それゆえの悲惨《ひさん》。

神に問う。信頼は罪なりや。

ヨシ子が汚されたという事よりも、ヨシ子の信頼が汚されたという事が、自分にとってそののち永く、生きておられないほどの苦悩の種になりました。自分のような、いやらしくおどおどして、ひとの顔いろばかり伺《うかが》い、人を信じる能力が、ひび割れてしまっているものにとって、ヨシ子の無垢《むく》の信頼心は、それこそ青葉の滝のようにすがすがしく思われていたのです。それが一夜で、黄色い汚水《おすい》に変ってしまいました。見よ、ヨシ子は、その夜から自分の一顰一笑《いっぴんいっしょう》にさえ気を遣《つか》うようになりました。

「おい。」

と呼ぶと、ぴくっとして、もう眼《め》のやり場に困っている様子です。どんなに自分が笑わせようとして、お道化を言っても、おろおろし、びくびくし、やたらに自分に敬語を遣うようになりました。

果して、無垢の信頼心は、罪の原泉なりや。

自分は、人妻の犯《おか》された物語の本を、いろいろ捜《さが》して読んでみました。けれども、ヨシ子ほど悲惨な犯され方をしている女は、ひとりも無いと思いました。どだい、これは、てんで物語にも何もなりません。あの小男の商人と、ヨシ子とのあいだに、少しでも恋《こい》に似た感情でもあったなら、自分の気持もかえってたすかるかも知れませんが、ただ、夏の一夜、ヨシ子が信頼して、そうして、それっきり、しかもそのために自分の眉間は、まっこうから割られ声が嗄《しゃが》れて若白髪がはじまり、ヨシ子は一生おろおろしなければならなくなったのです。たいていの物語は、その妻の「行為」を夫が許すかどうか、そこに重点を置いていたようでしたが、それは自分にとっては、そんなに苦しい大問題では無いように思われました。許す、許さぬ、そのような権利を留保している夫こそ幸いなる哉《かな》、とても許す事が出来ぬと思ったなら、何もそんなに大騒《おおさわ》ぎせずとも、さっさと妻を離縁《りえん》して、新しい妻を迎《むか》えたらどうだろう、それが出来なかったら、所謂《いわゆる》「許して」我慢《がまん》するさ、いずれにしても夫の気持一つで四方八方がまるく収るだろうに、という気さえするのでした。つまり、そのような事件は、たしかに夫にとって大いなるショックであっても、しかし、それは「ショック」であって、いつまでも尽《つ》きること無く打ち返し打ち寄せる波と違《ちが》い、権利のある夫の怒りでもってどうにでも処理できるトラブルのように自分には思われたのでした。けれども、自分たちの場合、夫に何の権利も無く、考えると何もかも自分がわるいような気がして来て、怒《おこ》るどころか、おこごと一つも言えず、また、その妻は、その所有している稀《まれ》な美質に依《よ》って犯されたのです。しかも、その美質は、夫のかねてあこがれの、無垢の信頼心というたまらなく可憐《かれん》なものなのでした。

無垢の信頼心は、罪なりや。

唯一《ゆいいつ》のたのみの美質にさえ、疑惑《ぎわく》を抱《いだ》き、自分は、もはや何もかも、わけがわからなくなり、おもむくところは、ただアルコールだけになりました。自分の顔の表情は極度にいやしくなり、朝から焼酎《しょうちゅう》を飲み、歯がぼろぼろに欠けて、漫画もほとんど猥画《わいが》に近いものを画《か》くようになりました。いいえ、はっきり言います。自分はその頃《ころ》から、春画のコピイをして密売しました。焼酎を買うお金がほしかったのです。いつも自分から視線をはずしておろおろしているヨシ子を見ると、こいつは全く警戒《けいかい》を知らぬ女だったから、あの商人といちどだけでは無かったのではなかろうか、また、堀木は？　いや、或《あ》いは自分の知らない人とも？　と疑惑は疑惑を生み、さりとて思い切ってそれを問い正す勇気も無く、れいの不安と恐怖にのたうち廻《まわ》る思いで、ただ焼酎を飲んで酔《よ》っては、わずかに卑屈《ひくつ》な誘導訊問《ゆうどうじんもん》みたいなものをおっかなびっくり試み、内心おろかしく一喜一憂《いっきいちゆう》し、うわべは、やたらにお道化て、そうして、それから、ヨシ子にいまわしい地獄の愛撫《あいぶ》を加え、泥《どろ》のように眠りこけるのでした。

その年の暮、自分は夜おそく泥酔《でいすい》して帰宅し、砂糖水を飲みたく、ヨシ子は眠っているようでしたから、自分でお勝手に行き砂糖壺《さとうつぼ》を捜し出し、ふたを開けてみたら砂糖は何もはいってなくて、黒く細長い紙の小箱がはいっていました。何気なく手に取り、その箱にはられてあるレッテルを見て愕然《がくぜん》としました。そのレッテルは、爪《つめ》で半分以上も掻《か》きはがされていましたが、洋字の部分が残っていて、それにははっきり書かれていました。DIAL。

ジアール。自分はその頃もっぱら焼酎で、催眠剤《さいみんざい》を用いてはいませんでしたが、しかし、不眠は自分の持病のようなものでしたから、たいていの催眠剤にはお馴染《なじ》みでした。ジアールのこの箱一つは、たしかに致死量《ちしりょう》以上の筈《はず》でした。まだ箱の封《ふう》を切ってはいませんでしたが、しかし、いつかは、やる気でこんなところに、しかもレッテルを掻きはがしたりなどして隠《かく》していたのに違いありません。可哀想《かわいそう》に、あの子にはレッテルの洋字が読めないので、爪で半分掻きはがして、これで大丈夫《だいじょうぶ》と思っていたのでしょう。（お前に罪は無い。）

自分は、音を立てないようにそっとコップに水を満たし、それから、ゆっくり箱の封を切って、全部、一気に口の中にほうり、コップの水を落ちついて飲みほし、電灯を消してそのまま寝ました。

三昼夜、自分は死んだようになっていたそうです。医者は過失と見なして、警察にとどけるのを猶予《ゆうよ》してくれたそうです。覚醒《かくせい》しかけて、一ばんさきに呟《つぶや》いたうわごとは、うちへ帰る、という言葉だったそうです。うちとは、どこの事を差して言ったのか、当の自分にも、よくわかりませんが、とにかく、そう言って、ひどく泣いたそうです。

次第《しだい》に霧《きり》がはれて、見ると、枕元《まくらもと》にヒラメが、ひどく不機嫌《ふきげん》な顔をして坐《すわ》っていました。

「このまえも、年の暮の事でしてね、お互《たが》いもう、目が廻《まわ》るくらいいそがしいのに、いつも、年の暮をねらって、こんな事をやられたひには、こっちの命がたまらない。」

ヒラメの話の聞き手になっているのは、京橋のバアのマダムでした。

「マダム。」

と自分は呼びました。

「うん、何？　気がついた？」

マダムは笑い顔を自分の顔の上にかぶせるようにして言いました。

自分は、ぽろぽろ涙《なみだ》を流し、

「ヨシ子とわかれさせて。」

自分でも思いがけなかった言葉が出ました。

マダムは身を起し、幽《かす》かな溜息《ためいき》をもらしました。

それから自分は、これもまた実に思いがけない滑稽《こっけい》とも阿呆《あほ》らしいとも、形容に苦しむほどの失言をしました。

「僕は、女のいないところに行くんだ。」

うわっはっは、とまず、ヒラメが大声を挙《あ》げて笑い、マダムもクスクス笑い出し、自分も涙を流しながら赤面の態《てい》になり、苦笑《くしょう》しました。

「うん、そのほうがいい。」

とヒラメは、いつまでもだらし無く笑いながら、

「女のいないところに行ったほうがよい。女がいると、どうもいけない。女のいないところとは、いい思いつきです。」

女のいないところ。しかし、この自分の阿呆くさいうわごとは、のちに到《いた》って、非常に陰惨《いんさん》に実現せられました。

ヨシ子は、何か、自分がヨシ子の身代りになって毒を飲んだとでも思い込んでいるらしく、以前よりも尚《なお》いっそう、自分に対して、おろおろして、自分が何を言っても笑わず、そうしてろくに口もきけないような有様なので、自分もアパートの部屋の中にいるのが、うっとうしく、つい外へ出て、相変らず安い酒をあおる事になるのでした。しかし、あのジアールの一件以来、自分のからだがめっきり痩《や》せ細って、手足がだるく、漫画《まんが》の仕事も怠《なま》けがちになり、ヒラメがあの時、見舞《みま》いとして置いて行ったお金（ヒラメはそれを、渋田の志です、と言っていかにもご自身から出たお金のようにして差出しましたが、これも故郷の兄たちからのお金のようでし

た。自分もその頃には、ヒラメの家から逃《に》げ出したあの時とちがって、ヒラメのそんなもったい振《ぶ》った芝居《しばい》を、おぼろげながら見抜《みぬ》く事が出来るようになっていましたので、こちらもずるく、全く気づかぬ振りをして、神妙《しんみょう》にそのお金のお礼をヒラメに向って申し上げたのでしたが、しかし、ヒラメたちが、なぜ、そんなややこしいカラクリをやらかすのか、わかるような、わからないような、どうしても自分には、へんな気がしてなりませんでした）そのお金で、思い切ってひとりで南伊豆《みなみいず》の温泉に行ってみたりなどしましたが、とてもそんな悠長《ゆうちょう》な温泉めぐりなど出来る柄《がら》ではなく、ヨシ子を思えば侘《わ》びしさ限りなく、宿の部屋から山を眺《なが》めるなどの落ちついた心境には甚《はなは》だ遠く、ドテラにも着換《きが》えず、お湯にもはいらず、外へ飛び出しては薄汚《うすぎたな》い茶店みたいなところに飛び込んで、焼酎を、それこそ浴《あ》びるほど飲んで、からだ具合いを一そう悪くして帰京しただけの事でした。

東京に大雪の降った夜でした。自分は酔って銀座裏を、ここはお国を何百里、ここはお国を何百里、と小声で繰《く》り返し繰り返し呟くように歌いながら、なおも降りつもる雪を靴先《くつさき》で蹴散《けち》らして歩いて、突然《とつぜん》、吐《は》きました。それは自分の最初の喀血《かっけつ》でした。雪の上に、大きい日の丸の旗が出来ました。自分は、しばらくしゃがんで、それから、よごれていない個所《かしょ》の雪を両手で掬《すく》い取って、顔を洗いながら泣きました。

こうこは、どうこの細道じゃ？

こうこは、どうこの細道じゃ？

哀《あわ》れな童女の歌声が、幻聴《げんちょう》のように、かすかに遠くから聞えます。不幸。この世には、さまざまの不幸な人が、いや、不幸な人ばかり、と言っても過言ではないでしょうが、しかし、その人たちの不幸は、所謂《いわゆる》世間に対して堂々と抗議《こうぎ》が出来、また「世間」もその人たちの抗議を容易に理解し同情します。しかし、自分の不幸は、すべて自分の罪悪からなので、誰《だれ》にも抗議の仕様が無いし、また口ごもりながら一言でも抗議めいた事を言いかけると、ヒラメならずとも世間の人たち全部、よくもまあそんな口がきけたものだと呆《あき》れかえるに違いないし、自分はいったい俗《ぞく》にいう「わがままもの」なのか、またはその反対に、気が弱すぎるのか、自分でもわけがわからないけれども、とにかく罪悪のかたまりらしいので、どこまでも自《おのず》らどんどん不幸になるばかりで、防ぎ止める具体策など無いのです。

自分は立って、取り敢《あ》えず何か適当な薬をと思い、近くの薬屋にはいって、そこの奥さんと顔を見合せ、瞬間《しゅんかん》、奥さんは、フラッシュを浴びたみたいに首をあげ眼《め》を見はり、棒立ちになりました。しかし、その見はった眼には、驚愕《きょうがく》の色も嫌悪《けんお》の色も無く、ほとんど救いを求めるような、慕《した》うような色があらわれているのでした。ああ、このひとも、きっと不幸な人なのだ、不幸な人は、ひとの不幸にも敏感《びんかん》なものなのだから、と思った時、ふと、その奥さんが松葉杖《まつばづえ》をついて危《あぶな》かしく立っているのに気がつきました。駈《か》け寄りたい思いを抑《おさ》えて、なおもその奥さんと顔を見合せているうちに涙が出て来ました。すると、奥さんの大きい眼からも、涙がぽろぽろとあふれて出ました。

それっきり、一言も口をきかずに、自分はその薬屋から出て、よろめいてアパートに帰り、ヨシ子に塩水を作らせて飲み、黙《だま》って寝《ね》て、翌《あく》る日も、風邪気味《かぜぎみ》だと嘘《うそ》をついて一日一ぱい寝て、夜、自分の秘密の喀血がどうにも不安でたまらず、起きて、あの薬屋に行き、こんどは笑いながら、奥さんに、実に素直《すなお》に今迄《いままで》のからだ具合いを告白し、相談しました。

「お酒をおよしにならなければ。」

自分たちは、肉身のようでした。

「アル中になっているかも知れないんです。いまでも飲みたい。」

「いけません。私の主人も、テーベ*のくせに、菌《きん》を酒で殺すんだなんて言って、酒びたりになって、自分から寿命《じゅみょう》をちぢめました。」

「不安でいけないんです。こわくて、とても、だめなんです。」

「お薬を差し上げます。お酒だけは、およしなさい。」

奥さん（未亡人で、男の子がひとり、それは千葉だかどこだかの医大にはいって、間もなく父と同じ病いにかかり、休学入院中で、家には中風の舅《しゅうと》が寝ていて、奥さん自身は五歳の折、小児麻痺《しょうにまひ》で片方の脚《あし》が全然だめなのでした）は、松葉杖をコトコトと突きながら、自分のためにあっちの棚《たな》、こっちの引出し、いろいろと薬品を取そろえてくれるのでした。

これは、造血剤《ざい》。

これは、ヴィタミンの注射液。注射器は、これ。

これは、カルシウムの錠剤《じょうざい》。胃腸をこわさないように、ジアスターゼ。

これは、何。これは、何、と五、六種の薬品の説明を愛情こめてしてくれたのですが、しかし、この不幸な奥さんの愛情もまた、自分にとって深すぎました。最後に奥さんが、これは、どうしても、なんとしてもお酒を飲みたくて、たまらなくなった時のお薬、と言って素早く紙に包んだ小箱。

モルヒネの注射液でした。

酒よりは、害にならぬと奥さんも言い、自分もそれを信じて、また一つには、酒の酔いもさすがに不潔に感ぜられて来た矢先でもあったし、久し振りにアルコールというサタンからのがれる事の出来る喜びもあり、何の躊躇《ちゅうちょ》も無く、自分は自分の腕に、そのモルヒネを注射しました。不安も、焦燥《しょうそう》も、はにかみも、綺麗《きれい》に除去せられ、自分は甚だ陽気な能弁家になるのでした。そうして、その注射をすると自分は、からだの衰弱も忘れて、漫画の仕事に精が出て、自分で画きながら噴き出してしまうほど珍妙《ちんみょう》な趣向《しゅこう》が生れるのでした。

一日一本のつもりが、二本になり、四本になった頃《ころ》には、自分はもうそれが無ければ、仕事が出来ないようになっていました。

「いけませんよ、中毒になったら、そりゃもう、たいへんです。」

薬屋の奥さんにそう言われると、自分はもう可成《かな》りの中毒患者《かんじゃ》になってしまったような気がして来て、(自分は、ひとの暗示に実にもろくひっかかるたちなのです。このお金は使っちゃいけないよ、と言っても、お前の事だものなあ、なんて言われると、何だか使わないと悪いような、期待にそむくような、へんな錯覚《さっかく》が起って、必ずすぐにそのお金を使ってしまうのでした)その中毒の不安のため、かえって薬品をたくさん求めるようになったのでした。

「たのむ！　もう一箱。勘定《かんじょう》は月末にきっと払《はら》いますから。」

「勘定なんて、いつでもかまいませんけど、警察のほうが、うるさいのでねえ。」

ああ、いつでも自分の周囲には、何やら、濁《にご》って暗く、うさん臭《くさ》い日陰者《ひかげもの》の気配がつきまとうのです。

「そこを何とか、ごまかして、たのむよ、奥さん。キスしてあげよう。」

奥さんは、顔を赤らめます。

自分は、いよいよつけ込み、

「薬が無いと仕事がちっとも、はかどらないんだよ。僕には、あれは強精剤みたいなものなんだ。」

「それじゃ、いっそ、ホルモン注射がいいでしょう。」

「ばかにしちゃいけません。お酒か、そうでなければ、あの薬か、どっちかで無ければ仕事が出来ないんだ。」

「お酒は、いけません。」

「そうでしょう？　僕はね、あの薬を使うようになってから、お酒は一滴《てき》も飲まなかった。おかげで、からだの調子が、とてもいいんだ。僕だって、いつまでも、下手くそな漫画などをかいているつもりは無い、これから、酒をやめて、からだを直して、勉強して、きっと偉《えら》い絵画《えか》きになって見せる。いまが大事なところなんだ。だからさ、ね、おねがい。キスしてあげようか。」

　奥さんは笑い出し、

「困るわねえ。中毒になっても知りませんよ。」

　コトコトと松葉杖の音をさせて、その薬品を棚から取り出し、

「一箱は、あげられませんよ。すぐ使ってしまうのだもの。半分ね。」

「ケチだなあ、まあ、仕方が無いや。」

家へ帰って、すぐに一本、注射をします。

「痛くないんですか？」

ヨシ子は、おどおど自分にたずねます。

「それあ痛いさ。でも、仕事の能率をあげるためには、いやでもこれをやらなければいけないんだ。僕はこの頃、とても元気だろう？　さあ、仕事だ。仕事、仕事。」

とはしゃぐのです。

深夜、薬屋の戸をたたいた事もありました。寝巻姿で、コトコト松葉杖をついて出て来た奥さんに、いきなり抱《だ》きついてキスして、泣く真似《まね》をしました。

奥さんは、黙って自分に一箱、手渡《てわた》しました。

薬品もまた、焼酎《しょうちゅう》同様、いや、それ以上に、いまわしく不潔なものだと、つくづく思い知った時には、既《すで》に自分は完全な中毒患者になっていました。真に、恥知《はじ》らずの極《きわみ》でした。自分はその薬品を得たいばかりに、またも春画のコピイをはじめ、そうして、あの薬屋の不具の奥さんと文字どおりの醜《しゅう》関係をさえ結びました。

死にたい、いっそ、死にたい、もう取返しがつかないんだ、どんな事をしても、何をしても、駄目《だめ》になるだけなんだ、恥の上塗《うわぬ》りをするだけなんだ、自転車で青葉の滝など、自分には望むべくも無いんだ、ただけがらわしい罪にあさましい罪が重なり、苦悩が増大し強烈《きょうれつ》になるだけなんだ、死にたい、死ななければならぬ、生きているのが罪の種なのだ、などと思いつめても、やっぱり、アパートと薬屋の間を半狂乱《はんきょうらん》の姿で往復しているばかりなのでした。

いくら仕事をしても、薬の使用量もしたがってふえているので、薬代の借りがおそろしいほどの額にのぼり、奥さんは、自分の顔を見ると涙《なみだ》を浮《うか》べ、自分も涙を流しました。

地獄《じごく》。

この地獄からのがれるための最後の手段、これが失敗したら、あとはもう首をくくるばかりだ、という神の存在を賭《か》けるほどの決意を以《もっ》て、自分は、故郷の父あてに長い手紙を書いて、自分の実情一さいを（女の事は、さすがに書けませんでしたが）告白する事にしました。

しかし、結果は一そう悪く、待てど暮せど何の返事も無く、自分はその焦燥《しょうそう》と不安のために、かえって薬の量をふやしてしまいました。

今夜、十本、一気に注射し、そうして大川に飛び込もうと、ひそかに覚悟《かくご》を極《き》めたその日の午後、ヒラメが、悪魔《あくま》の勘で嗅《か》ぎつけたみたいに、堀木を連れてあらわれました。

「お前は、喀血《かっけつ》したんだってな。」

堀木は、自分の前にあぐらをかいてそう言い、いままで見た事も無いくらいに優《やさ》しく微笑《ほほえ》みました。その優しい微笑《びしょう》が、ありがたくて、うれしくて、自分はつい顔をそむけて涙を流しました。そうして彼のその優しい微笑一つで、自分は完全に打ち破られ、葬《ほうむ》り去られてしまったのです。

自分は自動車に乗せられました。とにかく入院しなければならぬ、あとは自分たちにまかせなさい、とヒラメも、しんみりした口調で、（それは慈悲《じひ》深いとでも形容したいほど、もの静かな口調でした）自分にすすめ、自分は意志も判断も何も無い者の如《ごと》く、ただメソメソ泣きながら唯々諾々《いいだくだく》と二人の言いつけに従うのでした。ヨシ子もいれて四人、自分たちは、ずいぶん永《なが》いこと自動車にゆられ、あたりが薄《うす》暗《ぐら》くなった頃、森の中の大きい病院の、玄関《げんかん》に到着《とうちゃく》しました。

サナトリアムとばかり思っていました。

自分は若い医師のいやに物やわらかな、鄭重《ていちょう》な診察《しんさつ》を受け、それから医師は、

「まあ、しばらくここで静養するんですね。」

と、まるで、はにかむように微笑して言い、ヒラメと堀木とヨシ子は、自分ひとりを置いて帰ることになりましたが、ヨシ子は着換《きがえ》の衣類をいれてある風呂敷包《ふろしきづつみ》を自分に手渡し、それから黙《だま》って帯の間から注射器と使い残りのあの薬品を差し出しました。やはり、強精剤だとばかり思っていたのでしょうか。

「いや、もう要《い》らない。」

実に、珍《めず》らしい事でした。すすめられて、それを拒否《きょひ》したのは、自分のそれまでの生涯《しょうがい》に於《お》いて、その時ただ一度、といっても過言でないくらいなのです。自分の不幸は、拒否の能力の無い者の不幸でした。すすめられて拒否すると、相手の心にも自分の心にも、永遠に修繕《しゅうぜん》し得ない白々しいひび割れが出来るような恐怖《きょうふ》におびやかされているのでした。けれども、自分はその時、あれほど半狂乱になって求めていたモルヒネを、実に自然に拒否しました。ヨシ子の謂《い》わば「神の如き無智《むち》」に撃《う》たれたのでしょうか。自分は、あの瞬間《しゅんかん》、すでに中毒でなくなっていたのではないでしょうか。

けれども、自分はそれからすぐに、あのはにかむような微笑をする若い医師に案内せられ、或《あ》る病棟《びょうとう》にいれられて、ガチャンと鍵《かぎ》をおろされました。脳病院でした。

女のいないところへ行くという、あのジアールを飲んだ時の自分の愚《おろ》かなうわごとが、まことに奇妙に実現せられたわけでした。その病棟には、男の狂人ばかりで、看護人も男でしたし、女はひとりもいませんでした。

いまはもう自分は、罪人どころではなく、狂人でした。いいえ、断じて自分は狂《くる》ってなどいなかったのです。一瞬間といえども、狂った事は無いんです。けれども、ああ、狂人は、たいてい自分の事をそう言うものだそうです。つまり、この病院にいれられた者は気違《きちが》い、いれられなかった者は、ノーマルという事になるようです。

神に問う。無抵抗《むていこう》は罪なりや？

堀木のあの不思議な美しい微笑に自分は泣き、判断も抵抗も忘れて自動車に乗り、そうしてここに連れて来られて、狂人という事になりました。いまに、ここから出ても、自分はやっぱり狂人、いや、廃人《はいじん》という刻印を額に打たれる事でしょう。

人間、失格。

もはや、自分は、完全に、人間で無くなりました。

ここへ来たのは初夏の頃《ころ》で、鉄の格子《こうし》の窓から病院の庭の小さい池に紅《あか》い睡蓮《すいれん》の花が咲《さ》いているのが見えましたが、それから三つき経《た》ち、庭にコスモスが咲きはじめ、思いがけなく故郷の長兄《ちょうけい》が、ヒラメを連れて自分を引き取りにやって来て、父が先月末に胃潰瘍《いかいよう》でなくなったこと、自分たちはもうお前の過去は問わぬ、生活の心配もかけないつもり、何もしなくていい、その代り、いろいろ未練もあるだろうがすぐに東京から離れて、田舎《いなか》で療養《りょうよう》生活をはじめてくれ、お前が東京でしでかした事の後仕末は、だいたい渋田がやってくれた筈《はず》だから、それは気にしないでいい、とれいの生真面目《きまじめ》な緊張《きんちょう》したような口調で言うのでした。

故郷の山河が眼前に見えるような気がして来て、自分は幽《かす》かにうなずきました。

まさに廃人。

父が死んだ事を知ってから、自分はいよいよ腑《ふ》抜《ぬ》けたようになりました。父が、もういない、自分の胸中から一刻も離《はな》れなかったあの懐《なつか》しくおそろしい存在が、もういない、自分の苦悩の壺《つぼ》がからっぽになったような気がしました。自分の苦悩の壺がやけに重かったのも、あの父のせいだったのではなかろうかとさえ思われました。まるで、張合いが抜《ぬ》けました。苦悩する能力をさえ失いました。

長兄は自分に対する約束を正確に実行してくれました。自分の生れて育った町から汽車で四、五時間、南下したところに、東北には珍らしいほど暖かい海辺の温泉地があって、その村はずれの、間数は五つもあるのですが、かなり古い家らしく壁《かべ》は剝《は》げ落ち、柱は虫に食われ、ほとんど修理の仕様も無いほどの茅屋《ぼうおく》を買いとって自分に与《あた》え、六十に近いひどい赤毛の醜《みにく》い女中をひとり附《つ》けてくれました。

それから三年と少し経《た》ち、自分はその間にそのテツという老女中に数度へんな犯《おか》され方をして、時たま夫婦喧嘩《ふうふげんか》みたいな事をはじめ、胸の病気のほうは一進一退、痩《や》せたりふとったり、血痰《けったん》が出たり、きのう、テツにカルモチンを買っておいで、と言って、村の薬屋にお使いにやったら、いつもの箱と違う形の箱のカルモチンを買って来て、べつに自分も気にとめず、寝《ね》る前に十錠《じょう》のんでも一向に眠《ねむ》くならないので、おかしいなと思っているうちに、おなかの具合がへんになり急いで便所へ行ったら猛烈《もうれつ》な下痢《げり》で、しかも、それから引続き三度も便所にかよったのでした。不審《しん》に堪《た》えず、薬の箱をよく見ると、それはヘノモチンという下剤《げざい》でした。

自分は仰向《あおむ》けに寝て、おなかに湯たんぽを載《の》せながら、テツにこごとを言ってやろうと思いました。

「これは、お前、カルモチンじゃない。ヘノモチン、という、」

と言いかけて、うふふふと笑ってしまいました。「廃人」は、どうやらこれは、喜劇名詞のようです。眠ろうとして下剤を飲み、しかも、その下剤の名前は、ヘノモチン。

いまは自分には、幸福も不幸もありません。

ただ、一さいは過ぎて行きます。

自分がいままで阿鼻叫喚《あびきようかん》で生きて来た所謂《いわゆる》「人間」の世界に於いて、たった一つ、真理らしく思われたのは、それだけでした。

ただ、一さいは過ぎて行きます。

自分はことし、二十七になります。白髪《しらが》がめっきりふえたので、たいていの人から、四十以上に見られます。

あとがき

この手記を書き綴《つづ》った狂人《きょうじん》を、私は、直接には知らない。けれども、この手記に出て来る京橋のスタンド・バアのマダムともおぼしき人物を、私はちょっと知っているのである。小柄で、顔色のよくない、眼が細く吊《つ》り上っていて、鼻の高い、美人というよりは、美青年といったほうがいいくらいの固い感じのひとであった。この手記には、どうやら、昭和五、六、七年、あの頃《ころ》の東京の風景がおもに写されているように思われるが、私が、その京橋のスタンド・バアに、友人に連れられて二、三度、立ち寄り、ハイボールなど飲んだのは、れいの日本の「軍部」がそろそろ露《ろ》骨《こつ》にあばれはじめた昭和十年前後の事であったから、この手記を書いた男には、おめにかかる事が出来なかったわけである。

然《しか》るに、ことしの二月、私は千葉県船橋《ふなばし》市に疎開《そかい》している或《あ》る友人をたずねた。その友人は、私の大学時代の謂《い》わば学友で、いまは某《ぼう》女子大の講師をしているのであるが、実は私はこの友人に私の身内の者の縁談《えんだん》を依頼《いらい》していたので、その用事もあり、かたがた何か新鮮《しんせん》な海産物でも仕入れて私の家の者たちに食わせてやろうと思い、リュックサックを背負って船橋市へ出かけて行ったのである。

船橋市は、泥海《どろうみ》に臨《のぞ》んだかなり大きいまちであった。新住民たるその友人の家は、その土地の人に所番地を告げてたずねても、なかなかわからないのである。寒い上に、リュックサックを背負った肩が痛くなり、私はレコードの提琴《ていきん》の音にひかれて、或る喫茶店《きっさてん》のドアを押した。

そこのマダムに見覚えがあり、たずねてみたら、まさに、十年前のあの京橋の小さいバアのマダムであった。マダムも、私をすぐに思い出してくれた様子で、互《たが》いに大袈裟《おおげさ》に驚《おどろ》き、笑い、それからこんな時のおきまりの、れいの、空襲《くうしゅう》で焼け出されたお互いの経験を問われもせぬのに、いかにも自慢《じまん》らしく語り合い、

「あなたは、しかし、かわらない。」

「いいえ、もうお婆《ばあ》さん。からだが、がたぴしです。あなたこそ、お若いわ。」

「とんでもない、子供がもう三人もあるんだよ。きょうはそいつらのために買い出し。」

などと、これもまた久し振《ぶ》りで逢《あ》った者同志のおきまりの挨拶《あいさつ》を交《かわ》し、それから、二人に共通の知人のその後の消息をたずね合ったりして、そのうちに、ふとマダムは口調を改め、あなたは葉ちゃんを知っていたかしら、と言う。それは知らない、

と答えると、マダムは、奥へ行って、三冊のノートブックと、三葉の写真を持って来て私に手渡《てわた》し、

「何か、小説の材料になるかも知れませんわ。」

と言った。

私は、ひとから押しつけられた材料でものを書けないたちなので、すぐにその場でかえそうかと思ったが、（三葉の写真、その奇怪《きかい》さに就《つ》いては、はしがきにも書いて置いた）その写真に心をひかれ、とにかくノートをあずかる事にして、帰りにはまたここへ立ち寄りますが、何町何番地の何さん、女子大の先生をしているひとの家をご存じないか、と尋《たず》ねると、やはり新住民同志、知っていた。時たま、この喫茶店にもお見えになるという。すぐ近所であった。

その夜、友人とわずかなお酒を汲《く》み交《かわ》し、泊《と》めてもらう事にして、私は朝まで一睡《いっすい》もせずに、れいのノートに読みふけった。

その手記に書かれてあるのは、昔の話ではあったが、しかし、現代の人たちが読んでも、かなりの興味を持つに違《ちが》いない。下手に私の筆を加えるよりは、これはこのまま、どこかの雑誌社にたのんで発表してもらったほうが、なお、有意義な事のように思われた。

子供たちへの土産《みやげ》の海産物は、干物《ひもの》だけ。私は、リュックサックを背負って友人

の許《もと》を辞し、れいの喫茶店に立ち寄り、

「きのうは、どうも。ところで、……」

　とすぐに切り出し、

「このノートは、しばらく貸していただけませんか。」

「ええ、どうぞ。」

「このひとは、まだ生きているのですか？」

「さあ、それが、さっぱりわからないんです。十年ほど前に、京橋のお店あてに、そのノートと写真の小包が送られて来て、差し出し人は葉ちゃんにきまっているのですが、その小包には、葉ちゃんの住所も、名前さえも書いていなかったんです。空襲の時、ほかのものにまぎれて、これも不思議にたすかって、私はこないだはじめて、全部読んでみて、……」

「泣きましたか？」

「いいえ、泣くというより、……だめね、人間も、ああなっては、もう駄目《だめ》ね。」

「それから十年、とすると、もう亡《な》くなっているかも知れないね。これは、あなたへのお礼のつもりで送ってよこしたのでしょう。多少、誇張《こちょう》して書いているようなところもあるけど、しかし、あなたも、相当ひどい被害《ひがい》をこうむったようですね。もし、これが全部事実だったら、そうして僕がこのひとの友人だったら、やっぱり脳病院に連れて行きたくなったかも知れない。」

「あのひとのお父さんが悪いのですよ。」

何気なさそうに、そう言った。

「私たちの知っている葉ちゃんは、とても素直《すなお》で、よく気がきいて、あれでお酒さえ飲まなければ、いいえ、飲んでも、……神様みたいないい子でした。」

（本文中、引用の「ルバイヤット」の詩句は、故堀井《ほりい》梁歩《りょうほ》の訳によるものである）

桜桃

櫻桃

太宰治

われ、山にむかひて、目を擧ぐ。

―詩篇、第百二十一。

われ、山にむかいて、目を挙《あ》ぐ。

——詩篇、第百二十一。


子供より親が大事、と思いたい。子供のために、などと古風な道学者みたいな事を殊勝《しゅしょう》らしく考えてみても、何、子供よりも、その親のほうが弱いのだ。少くとも、私の家庭に於《お》いては、そうである。まさか、自分が老人になってから、子供に助けられ、世話になろうなどという図々《ずうずう》しい虫のよい下心は、まったく持ち合せてはいないけれども、この親は、その家庭に於いて、常に子供たちのご機嫌《きげん》ばかり伺《うかが》っている。子供、といっても、私のところの子供たちは、皆《みな》まだひどく幼い。長女は七歳、長男は四歳、次女は一歳である。それでも、既《すで》にそれぞれ、両親を圧倒《あっとう》し掛《か》けている。父と母は、さながら子供たちの下男下女の趣《おもむ》きを呈《てい》しているのである。

夏、家族全部三畳間《さんじょうま》に集り、大にぎやか、大混雑の夕食をしたため、父はタオルでやたらに顔の汗《あせ》を拭《ふ》き、

「めし食って大汗かくもげびた事、と柳多留《やなぎだる》*にあったけれども、どうも、こんなに子供たちがうるさくては、いかにお上品なお父さんと雖《いえど》も、汗が流れる。」

と、ひとりぶつぶつ不平を言い出す。

母は、一歳の次女におっぱいを含《ふく》ませながら、そうして、お父さんと長女と長男のお給仕をするやら、子供たちのこぼしたものを拭くやら、拾うやら、鼻をかんでやるやら、八面六臂《はちめんろっぴ》のすさまじい働きをして、

「お父さんは、お鼻に一ばん汗をおかきになるようね。いつも、せわしくお鼻を拭いていらっしゃる。」

父は苦笑《くしょう》して、

「それじゃ、お前はどこだ。内股《うちまた》かね？」

「お上品なお父さんですこと。」

「いや、何もお前、医学的な話じゃないか。上品も下品も無い。」

「私はね、」

と母は少しまじめな顔になり、

「この、お乳とお乳のあいだに、……涙《なみだ》の谷、……」

涙の谷。

父は黙《もく》して、食事をつづけた。

私は家庭に在《あ》っては、いつも冗談《じょうだん》を言っている。それこそ「心には悩《なや》みわずら

う」事の多いゆえに、「おもてには快楽《けらく》」をよそわざるを得ない、とでも言おうか。いや、家庭に在る時ばかりでなく、私は人に接する時でも、心がどんなにつらくても、からだがどんなに苦しくても、ほとんど必死で、楽しい雰囲気《ふんいき》を創《つく》る事に努力する。そうして、客とわかれた後、私は疲労《ひろう》によろめき、お金の事、道徳の事、自殺の事を考える。いや、それは人に接する場合だけではない。小説を書く時も、それと同じである。私は、悲しい時に、かえって軽い楽しい物語の創造に努力する。自分では、もっとも、おいしい奉仕《ほうし》のつもりでいるのだが、人はそれに気づかず、太宰《だざい》という作家も、このごろは軽薄《けいはく》である、面白《おもしろ》さだけで読者を釣る、すこぶる安易、と私をさげすむ。

人間が、人間に奉仕するというのは、悪い事であろうか。もったいぶって、なかなか笑わぬというのは、善い事であろうか。

つまり、私は、糞真面目《くそまじめ》で興覚めな、気まずい事に堪《た》え切れないのだ。私は、私の家庭に於いても、絶えず冗談を言い、薄氷を踏む思いで冗談を言い、一部の読者、批評家の想像を裏切り、私の部屋の畳《たたみ》は新しく、机上《きじょう》は整頓《せいとん》せられ、夫婦《ふうふ》はいたわり、尊敬し合い、夫は妻を打った事など無いのは勿論《もちろん》、出て行け、出て行きます、などの乱暴な口争いした事さえ一度も無かったし、父も母も負けずに子供を可愛《かわい》がり、子供たちも父母に陽気によくなつく。

しかし、それは外見。母が胸をあけると、涙の谷、父の寝汗《ねあせ》も、いよいよひどく、夫婦は互《たが》いに相手の苦痛を知っているのだが、それに、さわらないように努めて、父が冗談を言えば、母も笑う。

しかし、その時、涙の谷、と母に言われて父は黙し、何か冗談を言って切りかえそうと思っても、とっさにうまい言葉が浮《うか》ばず、黙しつづけると、いよいよ気まずさが積り、さすがの「通人」の父も、とうとう、まじめな顔になってしまって、

「誰《だれ》か、ひとを雇いなさい。どうしたって、そうしなければ、いけない。」

と、母の機嫌を損じないように、おっかなびっくり、ひとりごとのようにして呟《つぶや》く。

子供が三人。父は家事には全然、無能である。蒲団《ふとん》さえ自分で上げない。そうして、ただもう馬鹿《ばか》げた冗談ばかり言っている。配給だの、登録だの、そんな事は何も知らない。全然、宿屋住いでもしているような形。来客。饗応《きょうおう》。仕事部屋にお弁当を持って出かけて、それっきり一週間も御帰宅《ごきたく》にならない事もある。仕事、仕事、といつも騒《さわ》いでいるけれども、一日に二、三枚くらいしかお出来にならないようである。あとは、酒。飲みすぎると、げっそり痩《や》せてしまって寝込む。そのうえ、あちこちに若い女の友達などもある様子だ。

子供、……七歳の長女も、ことしの春に生れた次女も、少し風邪《かぜ》をひき易《やす》いけれ

ども、まずまあ人並。しかし、四歳の長男は、痩せこけていて、まだ立てない。言葉は、アアとかダアとか言うきりで一語も話せず、また人の言葉を聞きわける事も出来ない。這《は》って歩いていて、ウンコもオシッコも教えない。それでいて、ごはんは実にたくさん食べる。けれども、いつも痩せて小さく、髪《かみ》の毛も薄《うす》く、少しも成長しない。

父も母も、この長男に就《つ》いて、深く話合うことを避《さ》ける。白痴《はくち》、唖《おし》、……それを一言でも口に出して言って、二人で肯定《こうてい》し合うのは、あまりに悲惨《ひさん》だからである。母は時々、この子を固く抱《だ》きしめる。父はしばしば発作的《ほっさてき》に、この子を抱いて川に飛び込み死んでしまいたく思う。

「唖の次男を斬殺《ざんさつ》す。×日正午すぎ×区×町×番地×商、何某《なにがし》（五三）さんは自宅六畳間で次男何某（一八）君の頭を薪割《まきわり》で一撃《いちげき》して殺害、自分はハサミで喉《のど》を突《つ》いたが死に切れず附近《ふきん》の医院に収容したが危篤《きとく》、同家では最近二女某（二二）さんに養子を迎えたが、次男が唖の上に少し頭が悪いので娘《むすめ》可愛さから思い余ったもの。」

こんな新聞の記事もまた、私にヤケ酒を飲ませるのである。

ああ、ただ単に、発育がおくれているというだけの事であってくれたら！　この長男が、いまに急に成長し、父母の心配を憤《いきどお》り嘲笑《ちょうしょう》するようになってくれたら！　夫婦は親戚《しんせき》にも友人にも誰《だれ》にも告げず、ひそかに心でそれを念じながら、表面は何も気にしていないみたいに、長男をからかって笑っている。

母も精一ぱいの努力で生きているのだろうが、父もまた、一生懸命《けんめい》であった。もともと、あまりたくさん書ける小説家では無いのである。極端《きょくたん》な小心者なのである。それが公衆の面前に引き出され、へどもどしながら書いているのである。書くのがつらくて、ヤケ酒に救いを求める。ヤケ酒というのは、自分の思っていることを主張できない、もどっかしさ、いまいましさで飲む酒の事である。いつでも、自分の思っていることをハッキリ主張できるひとは、ヤケ酒なんか飲まない。(女に酒飲みの少いのは、この理由からである。)

私は議論をして、勝ったためしが無い。必ず負けるのである。相手の確信の強さ、自己肯定のすさまじさに圧倒せられるのである。そうして私は沈黙《ちんもく》する。しかし、だんだん考えてみると、相手の身勝手に気がつき、ただこっちばかりが悪いのではないのが確信せられて来るのだが、いちど言い負けたくせに、またしつこく戦闘《せんとう》開始するのも陰惨《いんさん》だし、それに私には言い争いは殴《なぐ》り合いと同じくらいにいつまでも不快な憎《にく》しみとして残るので、怒《いか》りにふるえながらも笑い、沈黙し、それから、いろいろさまざま考え、ついヤケ酒という事になるのである。

はっきり言おう。くどくどと、あちこち持ってまわった書き方をしたが、実はこの小説、夫婦喧嘩《げんか》の小説なのである。

「涙の谷。」

それが導火線であった。この夫婦は既《すで》に述べたとおり、手荒《てあら》なことは勿論、口《くち》汚《ぎたな》く罵《ののし》り合った事さえない頗《すこぶ》るおとなしい一組ではあるが、しかし、それだけまた一触即発《いっしょくそくはつ》の危険におののいているところもあった。両方が無言で、相手の悪さの証《しょう》拠《こ》固めをしているような危険、一枚の札《ふだ》をちらと見ては伏《ふ》せ、また一枚ちらと見ては伏せ、いつか、出し抜《ぬ》けに、さあ出来ましたと札をそろえて眼前にひろげられるような危険、それが夫婦を互いに遠慮深くさせていたと言って言えないところが無いでも無かった。妻のほうはとにかく、夫のほうは、たたけばたたくほど、いくらでもホコリの出そうな男なのである。

「涙の谷。」

そう言われて、夫は、ひがんだ。しかし、言い争いは好まない。沈黙した。お前はおれに、いくぶんあてつける気持で、そう言ったのだろうが、しかし、泣いているのはお前だけでない。おれだって、お前に負けず、子供の事は考えている。自分の家庭は大事だと思っている。子供が夜中に、へんな咳《せき》一つしても、きっと眼《め》がさめて、たまらない気持になる。もう少し、ましな家に引越《ひっこ》して、お前や子供たちをよろこばせてあげたくてならぬが、しかし、おれには、どうしてもそこまで手が廻《まわ》らないのだ。これでもう、精一ぱいなのだ。おれだって、凶暴《きょうぼう》な魔物《まもの》ではない。妻子を見殺しにして平然、というような「度胸」を持ってはいないのだ。配給や登録の事だって、知らないのではない、知るひまが無いのだ。……父は、そう心の中で呟き、しかし、それを言い出す自信も無く、また、言い出して母から何か切りかえされたら、ぐうの音《ね》も出ないような気もして、

「誰か、ひとを雇《やと》いなさい。」

と、ひとりごとみたいに、わずかに主張してみた次第《しだい》なのだ。

母も、いったい、無口なほうである。しかし、言うことに、いつも、つめたい自信を持っていた。（この母に限らず、どこの女も、たいていそんなものであるが。）

「でも、なかなか、来てくれるひともありませんから。」

「捜《さが》せば、きっと見つかりますよ。来てくれるひとが無いんじゃ無い。いてくれるひとが無いんじゃないかな？」

「私が、ひとを使うのが下手だとおっしゃるのですか？」

「そんな、……」

父はまた黙した。じつは、そう思っていたのだ。しかし、黙した。

ああ、誰かひとり、雇ってくれたらいい。母が末の子を脊負《せお》って、用足しに外に出かけると、父はあとの二人の子の世話を見なければならぬ。そうして、来客が毎日、きまって十人くらいずつある。

「仕事部屋のほうへ、出かけたいんだけど。」

「これからですか？」

「そう。どうしても、今夜のうちに書上げなければならない仕事があるんだ。」

それは、嘘《うそ》でなかった。しかし、家の中の憂鬱《ゆううつ》から、のがれたい気もあったのである。

「今夜は、私、妹のところへ行って来たいと思っているのですけど。」

それも、私は知っていた。妹は重態なのだ。しかし、女房《にょうぼう》が見舞《みま》いに行けば、私は子供のお守りをしていなければならぬ。

「だから、ひとを雇って、……」

言いかけて、私は、よした。女房の身内のひとの事に少しでも、ふれると、ひどく二人の気持がややこしくなる。

生きるという事は、たいへんな事だ。あちこちから鎖《くさり》がからまっていて、少しでも動くと、血が噴《ふ》き出す。

私は黙《だま》って立って、六畳間《ろくじょうま》の机の引出しから稿料《こうりょう》のはいっている封筒《ふうとう》を取り出し、袂《たもと》につっ込んで、それから原稿用紙と辞典を黒い風呂敷《ふろしき》に包み、物体でないみたいに、ふわりと外に出る。

もう、仕事どころではない。自殺の事ばかり考えている。そうして、酒を飲む場所へまっすぐに行く。

「いらっしゃい。」

「飲もう。きょうはまた、ばかに綺麗《きれい》な縞《しま》を、……」

「わるくないでしょう？　あなたの好《す》く縞だと思っていたの。」

「きょうは、夫婦《ふうふ》喧嘩でね、陰《いん》にこもってやりきれねえんだ。飲もう。今夜は泊《とま》るぜ。だんぜん泊る。」

子供より親が大事、と思いたい。子供よりも、その親のほうが弱いのだ。

桜桃《おうとう》が出た。

私の家では、子供たちに、ぜいたくなものを食べさせない。子供たちは、桜桃など、見た事も無いかも知れない。食べさせたら、よろこぶだろう。父が持って帰ったら、よろこぶだろう。蔓《つる》を糸でつないで、首にかけると、桜桃は、珊瑚《さんご》の首飾《くびかざり》のように見えるだろう。

しかし、父は、大皿に盛られた桜桃を、極《きわ》めてまずそうに食べては種を吐《は》き、食べては種を吐き、食べては種を吐き、そうして心の中で虚勢《きょせい》みたいに呟《つぶや》く言葉は、子供よりも親が大事。

注釈

人間失格

一四　＊プラクテカル　practical（英）　実用的。実際的。
＊阿鼻地獄《あびじごく》　猛火《もうか》などが間断なく亡者《もうじゃ》の皮肉骨髄《こつずい》を焼き、しかも命終ることなく、いよいよ極苦が加わるという地獄。「無間地獄」とも言う。
一六　＊霹靂《へきれき》　かみなり。雷鳴《らいめい》。
一七　＊ナアヴァスネス　nervousness（英）　神経質。
二五　＊妙諦《みょうてい》　すぐれたあきらめ。うまいかんがえ。
二七　＊六親眷属《ろくしんけんぞく》　六親は父・母・兄・弟・妻・子。眷属は眷族とも書き親族・親類。六親眷属は血統のある人全部の意。
四〇　＊マイスター　Meister（独）　大家。名人。巨匠《きょしょう》。
四三　＊泉岳寺《せんがくじ》　東京都港区高輪《たかなわ》二丁目にある曹洞宗《そうとうしゅう》の寺。万松山《ばんしょうざん》と号す。赤《あ》穂藩主《こうはんしゅ》浅野《あさの》家の菩提所《ぼだいしょ》として、元禄《げんろく》十四年浅野長矩《ながのり》をここに葬《ほうむ》り、ついで赤穂義士四十七人の墓をおく。以来有名になり、現在まで観光地としてにぎわっている。寺内に首洗井などがある。
四四　＊パアトス　pathos（ギリシャ）　強烈《きょうれつ》な情熱。激情。情念。

四八　＊モダニティ　modernity（英）現代性。近代性。
四九　＊ヴァニティ　vanity（英）虚栄心《きょえいしん》。見栄《みえ》。
六三　＊プロステチュウト　prostitute（英）娼婦《しょうふ》。接客婦。
九三　＊アブサン　absinthe（仏）アルコール分の強いみどり色の洋酒。
九七　＊月下氷人　男女の縁《えん》をとりもつ人。なこうど。
一〇〇　＊ギイ・シャルル・クロオ　Guy Charles Cros　フランスの詩人。現実の苦悩を繊細《せんさい》な感受性で包み、純粋《じゅんすい》な生活の美を秩序《ちつじょ》と調和の詩に託《たく》して歌った。『音と沈黙《ちんもく》』がある。
一〇五　＊プロバビリティ　probability（英）公算。確率。
一〇六　＊ルバイヤット　Rubaiyut　ペルシャのオマル・カイヤム Omar Khayyam の四行詩の詩集。酒と美女とバラをたたえた甘美《かんび》な中に深い憂愁《ゆうしゅう》の影《かげ》を落としている。英国の詩人フィッツジェラルド　FitzGerald Edward (1809-1883) が訳してから世に出た。
一一三　＊ヴァジニティ　virginity（英）処女性。
一一九　＊オント　honte（仏）恥《はじ》。羞恥心《しゅうちしん》。
一三四　＊テーベ　Tuberkulose（独）の略。結核《けっかく》。

桜桃

一五三　＊柳多留《やなぎだる》　近世の川柳《せんりゅう》集。呉陵軒可有《ごりょうけんあるべし》が、柄井川柳《からいせんりゅう》選の「万句合《まんくあわせ》」の中から一句の意味が独立しているものを選んで一七六五年に初編を刊行した。

解説

太宰治——人と文学

檀　一雄

生《お》いたち　太宰治《だざいおさむ》は明治四十二年（一九〇九年）六月十九日の夕暮、青森県北津軽《きたつがる》郡金木《かなぎ》村大字金木に、父津島源右衛門《つしまげんえもん》、母たねの第十子として、誕生した。男の方だけを数えれば、六男と云《い》うことになる。

本名は津島修治《しゅうじ》。

自分の誕生の季節のゆかりとして「紫露草《むらさきつゆくさ》」や「桜桃《おうとう》」をひそかに愛し、どの本であったか、自分の作品集の表紙に、「紫露草」を描《えが》かせたことがあるし、最後の作品が「桜桃」であったことを考え併《あわ》せても、決して、偶然《ぐうぜん》ではない。己《おの》れの誕生の日に寄せるひそかな憧憬《しょうけい》と装飾《そうしょく》だ。

家は∧源《やまげん》と呼ぶ津軽でも屈指《くっし》の大地主だが、祖父惣助《そうすけ》の代に急速に富裕《ふゆう》になった金貸地主であり、父源右衛門は、代議士になったり、貴族院議員になったりした。

母たねは病身がちで、「母に対しても私は親しめなかった」などと太宰自身書いているが、初代《はつよ》さんと結婚《けっこん》後まで、当のその母のたね女から、見事につけ込まれた津軽の漬物《つけもの》を毎年欠かさず送って貰《もら》っており、それを私達に大層自慢《じまん》にしていたものだ。坂口安吾《さかぐちあんご》がその母を語る奇《き》っ怪《かい》な文章と軌《じく》を一にしている。

つまり、良家の不良末弟《まってい》らが、えてしてその肉親にすねて見せる一面と、甘え媚《こ》びる一面を、太宰も、人一倍強く持っていた。

太宰の生家は、今でも「斜陽館《しゃようかん》」と呼ぶ宿屋に変って現存しているが、「この父は、ひどく大きい家を建てた。風情《ふぜい》も何もない、ただ大きいのである」と太宰自身が語っている通りの家で、その赤い大きな屋根は、かなり離《はな》れた近村からも、ハッキリそれと、望見出来るほどだ。

勉学時代　小学校の六年間は、首席で、全甲《ぜんこう》で、通している。そのまま中学に進学すれば、よさそうなものを、何の為《ため》か、一年間、高等小学校に残って、しばらく足踏《あしぶ》みをしたようだ。

これを自分では虚弱《きよじゃく》のせいだと語っているが、相馬正一《そうましょういち》君の研究によると、津島家が、金木小学校に対して持っている威圧《いあつ》力から、かえって太宰自身の学力の真価があやぶまれ、一年間補充《ほじゅう》教育を受けることになったのが真相のようだ。

何《いず》れにせよ、この一年間の挫折《ざせつ》感、停滞《ていたい》感は、人一倍見栄《みえ》坊《ぼう》の太宰治に、シェストフ風の地下室を作らせたかも知れないし、或《あるい》は太宰の作家としての濃厚《のうこう》な気分の一部

生家（青森県北津軽郡金木町）

を形成したかもわからない。

中学は青森中学に入り、中学四年から弘前《ひろさき》高等学校に入学する。自分が秀才《しゅうさい》でなければならず、その秀才の証明の為には、是《ぜ》が非《ひ》でも、中学四年から高校に入学しなければならなかったようだ。

肉感と心熱の動揺《どうよう》　しかし、そろそろこの頃《ころ》から、太宰治の自分自身で抑制《よくせい》も統御も出来ないようなあやしい肉感と心熱の動揺ははげしくなり、学業は半分放棄《ほうき》の状態になって、或時《あるとき》はプロレタリア文学気取りの作品執筆《しっぴつ》になったり、かと思うと、粋人《すいじん》気取り、義太夫《ぎだゆう》を習ったり、花柳界《かりゅうかい》に入りびたったりした。

お蔭《かげ》で後年、酔《よ》った揚句《あげく》なぞ、太宰がこの義太夫を呻《うな》りはじめて、私を悩《なや》ましたことも再々あるが、口をゆがめ、金歯をひらめかせ、語り出す義太夫は、どうひいき目に見ても、余りほめられたものではなかった。それを自分でもよく知っていて、余程《よほど》のことがない限り、人前では、語り出さなかったものである。

しかし、この義太夫の情緒《じょうしょ》と伝統は、太宰の文学の中に、たくみに活用されていて、その綾《あや》の一筋になっているから、落語と同時に、太宰の文学形成の上に、忘れてはならないことだろう。

さて、高等学生の身分でありながら、芸者屋には入りびたる、義太夫は呻る、プロレタリア小説には没頭《ぼっとう》するでは、学業の方も、金銭の側も、破綻《はたん》を来《きた》さない方が不思議だろう。案の定、第一回のカルモチン自殺未遂《じさつみすい》事件をおこして、太宰は周囲への慚愧《ざんき》の情を、破れかぶれの恰好《かっこう》で投げ出すのだが、しかしひそかに太宰流の韜晦《とうかい》と活路も用意されていたものと考えてみてもよさそうだ。

文学・左翼《さよく》運動・恋愛《れんあい》　昭和五年三月、東大仏文科に進学する。

太宰治は弘前高校の文科甲類で、第一外国語は英語、第二外国語はドイツ語の筈《はず》であり、フランス語は、もし、太宰が知っていたとしたら自習以外にはなかったろうから、例えば第一志望に英文科を申込んで、人員超過、第二志望の仏文科に廻《まわ》されたので

青森中学時代（左より治，弟礼治，級友）

はなかったろうか、と私は一度推定してみたことがある。そう云う例が、私の身のまわりにはあったからだ。

しかし、私の友人坪井与《つぼいあたえ》の話によると、昭和五、六年の頃は、辰野隆《たつのゆたか》氏が、頑強《がんきょう》に第一志望以外の者は認めなかったと云う説だから、太宰はやっぱり、仏文科を第一志望に選択したものだろう。高等学校でフランス語の基礎《きそ》教育を受けておらず、尚且《なおか》つ、仏文科を第一志望にしたと云うのであってみれば、本人の云う通り、辰野隆氏への敬愛と同時に、もう太宰治は小説家以外のなにものにもならぬと云うはっきりとしたあきらめを持っていたわけだ。

今日では想像も出来ないことかも知れないが、当時仏文科に入学すると云うことは、就職を放棄《ほうき》したと云うことであり、殊更《ことさら》、高校時代の基礎のフランス語をやっていない太宰治は、仏文学を、まともに専攻《せんこう》する意志も能力もなかった筈であり、ただ仏文科に在籍《ざいせき》して、郷里からの送金を受けるたよりとし、かたがた、辰野隆氏とか、小林《こばやし》秀雄《ひでお》氏とか、仏文科にまつわる人々の気風をなつかしみながら、あとは小説を書く以外にはなかったろう。

太宰治が東大に、勉強のため、通学したような一時期があったか、どうか、私はくわしくは知らぬ。しかし、おそらく無かったものと、想像する。と云うのは、入学まもなく、シンパとして、左翼運動にひきずり込まれており、学校に出かけたとすれば、その運動のためぐらいのものであったろうし、その年の秋には、青森の芸妓《げいぎ》小山《おやま》初代が太宰を追うて出奔《しゅっぽん》してきたり、その為に太宰は郷里の兄から除籍されたり、かと思うと、偶然《ぐうぜん》一二度通ったことのある銀座のカフェーの一女給（有夫の）と江の島で心中事件を起したり、その相手の女だけが死んで自殺幇助《ほうじょ》罪に問われるなどと云う、多《た》事《じ》多《た》端《たん》の日がつづく。

　おそらく、この四つの出来事は連環《れんかん》した因果関係を持ちながら太宰によって追いつめられていったに相違《そうい》ないが、それにしても、その相手の女を殺してしまったと云う心の負目は、終生拭《ぬぐ》いがたい苦杯《くはい》となって尾《お》を曳《ひ》いた。

　ようやく、太宰は、自分の文学と云うものにおぼろな目を開くのであり、その背後に、この心中未遂の幻影《げんえい》が、氷山の根のように、隠微《いんび》に横たわって、揺《ゆ》れていただろう。太宰の気質の文体が、一体何を荷《にな》うべきか、辛《かろ》うじて、模索《もさく》の中から、一本の綱《つな》を手繰《たぐ》り取った時期である。そうして、その一本の綱を手繰り取った時に、いつかはその綱を断《た》ちきらねばならない重い宿命を背負った、と云えるかも知れぬ。

　筆名も、はじめて太宰治を名乗り、ためらいがちにではあるが、「思い出」「魚服記」「列車」等の三作が、昭和八年に、前後しながら、書きつがれる。

交友の思い出　私が太宰治を知ったのは、丁度この時期であった。その背丈《せたけ》は、おそらく、私とほぼ寸分違《ちが》いなかったから、一メートル七三、四。しかし、その体重は、おそらく、五〇キロにも足りなかったろう。

心持猫背《ねこぜ》の、その痩身《そうしん》が歩み過ぎる後ろ姿には、やるせない憂悶《ゆうもん》があった。けれども酒は豪酒《ごうしゅ》であり、酔えば、屈託《くったく》なくおどけ、いや、津軽土着の、野太い諧《かい》謔《ぎゃく》があった。棟方志功《むなかたしこう》氏などとも、まったく共通な、津軽人の剽軽《ひょうきん》である。剽軽と云って言い足りないとしたら、剽重とでも呼べそうな、土着の快活である。

太宰がメソメソと泣いてばかり居たとでも思い込まれたら残念だから、云っておくが、太宰は野性的で、野暮で、逞《たくま》しい一面をたしかに持っていた。まるで、全身を泥《どろ》まみれにして笑い興じるような、底の抜《ぬ》けた、野太い、快活である。

天沼《あまぬま》に太宰と私がよく出かけてゆく鰻《うなぎ》の一杯呑屋《のみや》があった。鰻と云っても、鰻の頭だけをあぶって焼いて喰《く》わせてくれる立呑みの屋台店であったが、或夜、私がガッンと鰻の針を嚙《か》みあてたところ、太宰はころげるように笑い興じて、

「アハハハ……、鰻の針を嚙み当てるなんてね。願ったって、おいそれと、出来やしないぜ。これが人生の、余徳だよ。人生の余徳……」

いつまでも笑いやまなかったから、まるで昨日のことのようにその太宰の笑い声を覚えている。

また、いつだったか、ピノチオで私の為《ため》に催《もよお》された会があり、尾崎一雄《おざきかずお》さんのとこ

ろは、わざわざ奥さんまで顔を見せて下さって、その奥さんが、何となくうわずり気味に、お辞儀《じぎ》をされたとたん、ゴツンとおでこの辺りを、テーブルにぶっつけられたことがある。

すかさず太宰が、私の肩《かた》を叩《たた》いて、

「嬉《うれ》しいことだぜ。檀君。ほめられていいこった。机が割れるほどの、ねえ……」

その言葉がまことに時宜《じぎ》を得ていたのと、真情が溢《あふ》れていたので、今でもハッキリと私の記憶《きおく》の中にある。太宰のこのような諧謔は、間髪《かんはつ》を入れず、飛び出して、まわりに愉快《ゆかい》な波紋《はもん》をひろげてゆくのがならわしであった。

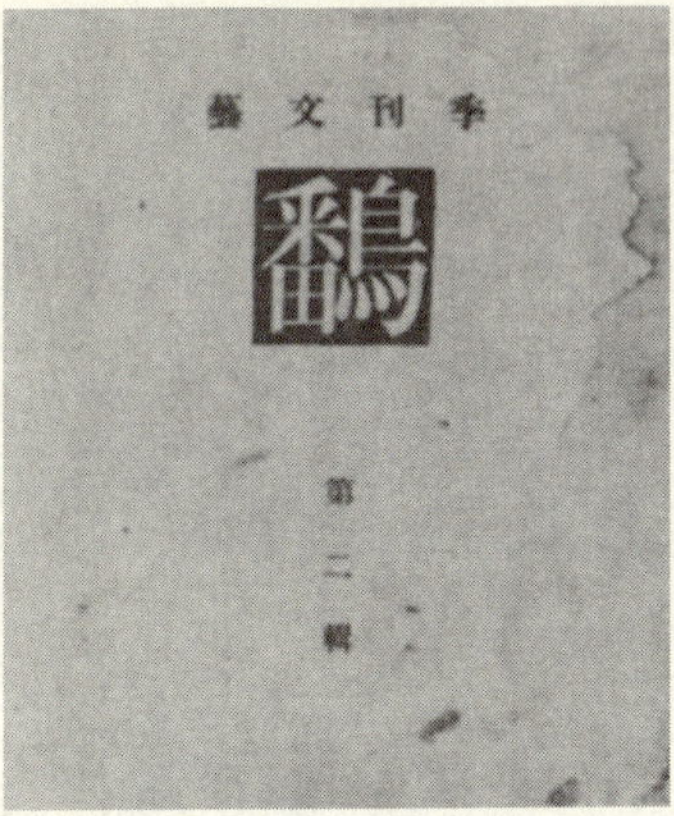

東大在学中、作品を発表した同人雑誌『鷭』（古谷綱武・檀一雄編集）

苦痛と蘇生《そせい》と

しかし、太宰が文学上の（或《あるい》は人生上の）正覚《しょうがく》を得たのは、もし、私見に間違いがないとすれば、初代さんの姦通《かんつう》事件の後であろうと思っている。

その時、太宰は私を呼びよせて、荻《おぎ》窪《くぼ》の行きつけの蕎麦《そば》屋の中に入り込み、矢継早《やつぎばや》に、五六杯のコップ酒をあおっ

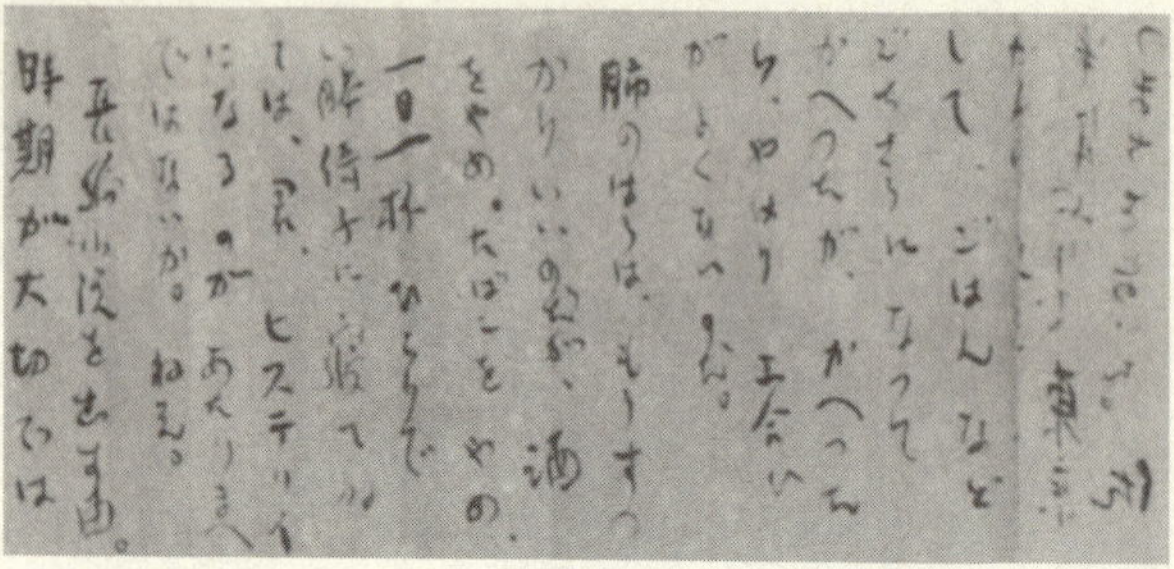

太宰の書簡（昭和10年8月、今官一宛）

たが、

「檀君。初代が事を起したんだ。男とね。その相手を誰《だれ》だと思う？　Kだよ、K。酸鼻《さんび》だよ。もし相手が君なら、決闘《けっとう》もなり立つ。相手がKでは、ベットリ鱗粉《りんぷん》が、まつわりついた感じだろう。地獄《じごく》だ。ひどいよ。酸鼻だよ」

まるで吼《ほ》えるように、その「酸鼻」をくりかえしながら、飲みつづけた。彼の苦痛がありあり手に取れるほどの、獰猛《どうもう》な苦悶《くもん》の表情で、私は太宰があの時ほど、男らしく感じられたことはない。

今まで、たかをくくり、ひそかに安堵《あんど》し、甘え、或は軽侮《けいぶ》していた同伴者《どうはんしゃ》の女性の格別に哀《あわ》れな出来事を知って、彼の全人格が震撼《しんかん》されるほどの痛撃《つうげき》を浴《あ》びたに相違ない。

私は、この出来事からしばらく後の、太宰の、見違える程《ほど》、獰猛で、快活で、正確な、生の表情を知っている。

「檀君。男は女じゃねえや」

と、或日《あるひ》、石神井《しゃくじい》公園の茶店の縁台《えんだい》の上で、酒を飲みながら、太宰が云《い》った。云いながら、大笑になり、

「ワッ！　ひでえ。意味をなさねえ」

　実は私達は、女子美術の女の子ら多勢を引き連れて出かけたわけだが、女の子らは、酒を飲む太宰や私達の傍《かたわら》を避《さ》けて、東大の制服制帽《せいぼう》を身につけた若い私の友人達と、ボートを漕《こ》ぎに行ってしまった。

昭和15年、三鷹の自宅付近にて

「こうなったら、檀君、もうオレ達は立派になるだけさ。カイゼル髭《ひげ》でも、ピンと立てて……。いいもんだよ。男は女じゃねえや」
　こう云って、呵《か》々大笑《かたいしょう》したものだ。
　おそらく、太宰は、自分の苦痛をかくして、蘇生《そせい》の心意気を、愉快に語ったものに相違ない。
　だから、たどたどしいが、「姥《うば》

捨《すて》」は太宰の、正覚を得た、転機の作品だと、私一人信じている。やがて、矢継早に、「富嶽《ふがく》百景」等の快活な、蘇生の記念塔《きねんとう》を見るだろう。

作品解説

鳥居邦朗

「人間失格」は、主人公大庭葉蔵の手記と、作者による「はしがき」「あとがき」から成っている。葉蔵の手記を太宰治の年譜《ねんぷ》・伝記と照らし合わせて読む読者には、葉蔵が太宰自身をモデルにして創《つく》られた人物であることは明瞭《めいりょう》である。通常の自伝小説に比べれば大幅なデフォルメがされているものの、ストーリーの骨格をなすような事《こと》柄《がら》については、太宰自身の生活歴の中に、その素材となった事項《じこう》を指摘《してき》することは容易である。手記の末尾《まつび》には、「自分はことし、二十七になります」とあり、「あとがき」には「昭和五、六、七年」ごろの東京の風景が写されている、とある。モデル太宰の生活史の方から見ると、「第二の手記」に書かれた心中未遂《しんじゅうみすい》事件は昭和五年十一月のことであり、「第三の手記」の精神病院入院は、昭和十一年、太宰数え年二十八歳の十月から十一月のことである。そしてこの入院中に、最初の妻初代が過失を犯《おか》す。小説の中の時間の流れはモデルとなった事実には全く拘束《こうそく》されていないので、厳密《げんみつ》には言い難《がた》いが、おおむね精神病院入院までの生活体験を素材にその人間観を語ろうとしたものと見てよいだろう。

太宰には、大庭葉蔵という名の主人公を持つ小説がもう一つあった。昭和十年五月、『日本浪曼派《にほんろうまんは》』に発表した「道化の華《はな》」である。「道化の華」は昭和五年の心中未遂事件が素材になっており、「人間失格」の「第二の手記」と同じである。「道化の華」では救助された大庭葉蔵が病院に収容されている。しかしその葉蔵について、「道化の華」ではほとんど何も書いていない。友人たちとのとりとめのないやりとりのうわべが描かれるだけで、その内心の苦悩《くのう》は全く語られない。その代りに、この小説を書いている「僕」が作中に顔を出し、葉蔵を書くことの苦しさ、難しさをしどろもどろに語る。女を死なせ自分だけ生き残ったあの心中未遂事件は、太宰にとって生涯《しょうがい》の大事であった。作家である以上、それを書かずに済ますことはできない。しかし、それを書くことの意味は何なのか。書くことによって作家は自己の人生にどうかかわるのか。ジイドが流行し純粋《じゅんすい》小説が云々《うんぬん》された昭和十年は、小説を書くことの意味が問われた時代であった。「道化の華」は、そういう時代の実験小説として書かれたのであった。

それから十余年、「人間失格」は逆の方法で書かれている。「道化の華」で前面に出ていた「僕」は後退して、「この手記を書き綴《つづ》った狂人《きょうじん》を、私は、直接には知らない」（「あとがき」）という作者の位置から、ノートと三葉の写真を紹介《しょうかい》するだけである。代って葉蔵がその手記という形で直接読者に語りかけてくる。「道化の華」と「人間失格」と、素材は同じでも主題・方法は異なる。十余年を経《へ》て再び大庭葉蔵の名を用いたことは、むしろその主題・方法の差を際立《きわだ》たせたかったのかもしれない。

太宰はまた、昭和十一年精神病院を退院した直後に「HUMAN LOST」を書いている。これを訳せば「人間失格」である。太宰自身、当時の書簡に「HUMAN LOST（人間失格）」と書いている。「HUMAN LOST」は日記の体裁《ていさい》で入院中の日々の憤懣《ふんまん》をぶちまけた作である。内容的には「人間失格」とそれほど関連はない。「人間失格」の葉蔵が脳病院に入れられたところで、

人間、失格。

もはや、自分は、完全に、人間で無くなりました。

とある。ただそれだけの関連だと言ってもよいくらいである。「人間失格」は脳病院入院という形で終わらざるを得なかった人生のそれまでの経過を書いたものであって、入院の衝撃《しょうげき》そのものを書こうとしたものではないからである。それでも、葉蔵が脳病院に入れられてはじめて、「人間、失格」と自覚するところは、実体験における精神病院入院の際の衝撃が反映していると見るべきであろう。しかし、作品「人間失格」においては、大庭葉蔵はむしろ最初から人間失格者あるいは人間になりそこねた

ものとして書かれている。

ともあれ、昭和十一年のパビナール中毒による精神病院入院は、自分に人間失格の烙印《らくいん》が押されたという衝撃を太宰に与《あた》えた。太宰は、そのことの意味をいつかしっかりとらえて書かねばならぬと思いつづけていたようである。そして敗戦の翌年、その執筆《しっぴつ》は具体的なスケジュールにのった。昭和二十一年一月二十五日付の堤重久《つつみしげひさ》宛《あて》書簡はいろいろな点で興味深い。まず、前年末ごろから始まった戦後日本への批判と自分の指針をまとめて述べている。そしてそのあとに、四十歳までの傑作《けっさく》とすべく「人間失格」を近く執筆する予定だと書いているのである。その構想がどこまでできていたかは知る由《よし》もないが、その題名からみて、素材はいま見るものとほぼ同じだったと考えられる。ただ、もしその「人間失格」が予定通りこの年のうちに、上京する前に津軽で書かれていたら、「人間失格」はもう少し変ったものになっていたであろう。大庭葉蔵を人間失格にまで追い込んだものを、時代の悪として攻撃《こうげき》する姿勢がもっとはっきり出たのではなかったろうか。しかし、「人間失格」は書かれないまま太宰は上京し、「斜陽」執筆とそれにまつわる事件が挟《はさ》まった。さらにその後の生活の混乱もあった。実際に「人間失格」の筆をとる頃《ころ》には、津軽にいたときの攻撃的な勢いは弱まり、むしろ太宰自身の心身の疲労《ひろう》の方が目立つようになっていた。結果的には、「人間失格」は太宰の遺書のような役割を果たす作品になっているというべきだろうか。

「はしがき」に三葉の写真を紹介した手口は巧妙《こうみょう》である。それぞれが第一から第三の手記に対応するのだが、その写真のイメージによって、読者を葉蔵の内部へ誘《さそ》う枝折《しお》りにしている。

「第一の手記」は、道化から出発した少年期が書かれているが、その意味は読みとりやすい。葉蔵は人間の営みが理解できない。人間生活の中のプラクティカルなものの意味がわからないのでは生きていくことはできない。この点ですでに葉蔵ははじめから人間失格者だと言ってもよいであろう。だが、わからないわからないと繰《く》り返す葉蔵の言葉のうらには棘《とげ》がある。葉蔵はそのわからなさを単に自分の無能力ゆえとは思っていない。

　自分には、あざむき合っていながら、清く明るく朗らかに生きている、あるいは生きうる自信を持っているみたいな人間が難解なのです。

この言葉を聞く読者は、それは世間の人間のほうが悪いのだ、葉蔵が理解できないのは当然だ、と葉蔵の味方になってしまうだろう。「人間失格」の中の攻撃的なプロテストの側面である。このほかにもこういう裏返しの読みが可能なところは少なくない。そういう読み方を重ねた読者は、最後に、「あとがき」のマダムの「神様みたいないい子でした」という言葉に共感し、「人間失格」という言葉に共感し、「人間失格」という題名まで裏返して、人間を失格するほうが当然で失格しない者は恐《おそ》ろしいと、葉蔵を虐《しいた》げた世間に批難のまなざしを向けることになる。ともあれ、葉蔵の言葉にそのような棘がある以上、「人間に対する最後の求愛」だという「必死のお道化のサーヴィス」も、どうやら成功は覚束《おぼつか》ないのではなかろうか。

「第二の手記」は、中学校入学から心中未遂まで、比較的に事柄を追って読めるように書かれている。中学校時代の竹一によるお化けの絵への開眼は、初期作品「思ひ出」の中の作家志願の場面に通じるものがある。上京後の左翼《さよく》体験、心中未遂は、大筋で昭和五年の太宰の実生活が浮《う》かんでくる。

「第三の手記」はかなり作られている。あえて言えば、「一」の主題は「世間」であり、「二」の主題は「罪」あるいは「神」である。

「世間とは個人じゃないか」という葉蔵の発見の意味は小さくない。少なくとも葉蔵は、それに気づくことによって、「いままでよりは多少、自分の意志で動く事が出来る」ようになり、そして結婚までする。おそらく太宰にとっても、「世間」とは何かというのは重大な宿題だったのではなかろうか。それを笑うことのできる者は、自ら近代的自我《じが》の持ち主と信じて疑わない者か、さもなくば常にみんなの目を自分の目としていささかの不満も感じない者である。

「第三の手記」の「二」では、せっかく自信を持ちかけていた葉蔵を叩《たた》きのめす事件が起こる。無垢《むく》の信頼心《しんらいしん》の持ち主である妻ヨシ子が犯《おか》される。それを目撃させられた葉蔵は「もの凄《すさま》じい恐怖《きょうふ》」に襲《おそ》われる。その恐怖を手記は次のように表現する。

神社の杉木立《すぎこだち》で白衣の御神体《ごしんたい》に逢《あ》った時に感ずるかもしれないような、四の五の言わさぬ古代の荒々《あらあら》しい恐怖感

このイメージの意味するものは何だろう。少なくとも西洋ではない。またわざわざ「古代の」とことわっている。おそらく「世間」も問題になるまい。何か存在そのものの奥底にある恐ろしいもの、それが葉蔵をとらえて放さないのであろうか。太宰が「罪」とか「神」とかを気にするのも、そういうものへの怖《おび》えからかと思われる。

「桜桃」は、「人間失格」の直前に書かれた作品である。

子供より親が大事、と思いたい。

という一言に思いを込めて、当時の苦境を描《えが》いている。この頃太宰は、

父はどこかで、義のために遊んでゐる。地獄《じごく》の思ひで遊んでゐる。(「父」)

家庭の幸福は諸悪の本《もと》。(「家庭の幸福」)

などの言葉を残している。しかし、これらの言葉は、いわば「虚勢《きょせい》みたい」なものである。この「桜桃」にしても、「私」はすべてを見ている。妻の不満も見ている。だからそれは作中にちゃんと描かれている。しかしわかっていながら、家庭の幸福のために没頭《ぼっとう》することができない。そうすることが恐ろしい。何かもっと大事なものをだめにしてしまうことが恐ろしいのである。それがひとりよがりということもわかっているが、それでも外出しないではいられないのである。「子供より親が大事」と言い切っているのではない。そう「思いたい」とつぶやいてみるだけである。そう思えないから「思いたい」のである。

太宰の敬愛する同郷の先輩《せんぱい》葛西善蔵《かさいぜんぞう》の「子をつれて」と比べて、どちらが悲惨《ひさん》か、あるいはどちらがいい気なものか。

年譜

明治四二年（一九〇九）

六月一九日、青森県北津軽郡金木《かなぎ》村大字金木字朝日山四一四番地に生まれる。本名津《つ》島修治《しましゅうじ》。父は源右衛門《げんえもん》、母は夕子《たね》。六男であるが二兄夭折で、文治、英治、圭治の三兄と四人の姉があった。ほか曾祖母、祖母、叔母とその娘四人ら大家族であり、三年後に弟礼治が生まれる。津島家は∧源《やまげん》の屋号で通る、県下有数の大地主であった。「思ひ出」に現われる子守のタケは二歳から八歳まで太宰につけられていた。

大正五年（一九一六）　七歳

金木第一尋常小学校入学。とてもよくできた。大正九年、曾祖母さよ死す。

大正一一年（一九二二）　一三歳

尋常小学校を卒業。近隣町村の組合立明治高等小学校に入学する。ここで「親友交《こう》歓《かん》」等に現われる多数の郷里の友人を得る。

大正一二年（一九二三）　一四歳

三月、父死去。享年五三歳。貴族院議員。

四月、青森県立青森中学校に入学。同市寺町の遠縁にあたる豊田家に下宿。中学在学中は交友会誌に作品を発表し、阿部合成《まきなり》、中村貞次郎らの友人と同人雑誌をつくり、また家族間でも『青んぼ』という雑誌をつくったりした。

昭和二年（一九二七）　一八歳

中学四年修了から官立弘前高等学校文科甲類に入学。遠縁の藤田家に止宿。このころ泉鏡花、芥川龍之介の文学に傾倒。七月、芥川の自殺に強い衝撃をうけた。青森市浜町玉家《たまや》方芸妓《げいぎ》紅子《べにこ》（小山初代《おやまはつよ》）を知る。

昭和三年（一九二八）　一九歳

同人誌『細胞文芸』を創刊編集、「長篇小説無間奈落《むげんならく》」を、辻島衆二《つじしましゅうじ》の筆名で発表。石上玄一郎《いしがみげんいちろう》も同人に加わった。マルクシズムの影響《えいきょう》をうける。翌年、カルモチンを多量にのみ、自殺未遂《みすい》を起こす。

昭和五年（一九三〇）　二一歳

四月、東京帝国大学仏文科に入学。まったくといっていいくらい登校はしなかった。戸塚町諏訪《すわ》常盤館に下宿。三兄圭治の近くであった。井伏鱒二《いぶせますじ》に面接し、後長く師事す。非合法運動に関係。六月、圭治死去。秋、小山初代上京して来たが、長兄文治のはからいで将来を約し、一時帰郷さす。戸《こ》籍《せき》上金木村同番地に分家。一一月二八日、行きずりのカフェー女給田辺《たなべ》あつみと鎌倉で薬物心中を図《はか》るが、女のみ死亡し、自殺幇助《ほうじょ》罪に問われ、起訴《きそ》猶予《ゆうよ》となる。

昭和六年（一九三一）　二二歳

二月、小山初代と同棲《どうせい》、五反田《ごたんだ》に住む。夏、神田区同朋町《どうぼうちょう》に、晩秋、和泉町《いずみ》に移転。朱《しゅ》鱗堂《りんどう》と号し、俳句に凝《こ》る。非合法運動に従事。

昭和七年（一九三二）　二三歳

柏木《かしわぎ》、八丁堀《はっちょうぼり》、白金三光町《しろかねさんこうちょう》に転々す。七月、青森警察署へ自首、留置、以後非合法運動を離《はな》れた。「思い出」を書きはじめる。

昭和八年（一九三三）　二四歳

二月、杉並区天沼《あまぬま》に移転。『サンデー東奥』に「列車」を発表。はじめて太宰治の筆名を用いた「田舎者《いなかもの》」を発表。四月、古屋綱《ふるやつな》武《たけ》、木山捷平《きやましょうへい》らの同人雑誌『海豹《かいひょう》』に参加し、「魚服記」を創刊号に、「思い出」を四、六、七月号に発表した。檀一雄《だんかずお》を知る。また井伏鱒二家を繁《しげ》く訪ね、伊馬鵜平《いまうへい》（春部《はるべ》）、中村地平《じへい》、小山祐士《こやまゆうし》らと知り合う。

昭和九年（一九三四）　二五歳

四月、『文芸春秋』に「洋之助の気焔《きえん》」が井伏鱒二の名で出る。同人雑誌『鷭《ばん》』（古谷綱武・檀一雄ら）に「葉」を発表。七月、『鷭』に「猿面冠者《さるめんかじゃ》」、一〇月、同人雑誌『世紀』（外村繁《とのむらしげる》、中谷孝雄《なかたにたかお》、尾崎一雄ら）に「彼は昔の彼ならず」を発表した。一二月、津村信夫、中原中也《ちゅうや》、山岸外史、今官《こんかん》一《いち》、伊馬鵜平、木山捷平らと共に同人雑誌『青い花』をつくり、「ロマネスク」を発表す。

昭和一〇年（一九三五）　二六歳

二月、『文芸』に「逆行」を発表。三月、大学を落第、都新聞の入社試験に失敗。中旬、鎌倉山にて縊死《いし》を企てた。『日本浪曼《ろうまん》派《は》』にはいり、「道化の華《はな》」を発表す。その前四月、盲腸炎《もうちょうえん》から腹膜炎《ふくまくえん》を併発《へいはつ》し、阿《あ》佐ヶ谷《さがや》篠原《しのはら》病院、のち世田ヶ谷経堂《きょうどう》病院に入院し、夏まで療養《りょうよう》、七月、千葉県船橋町に転地す。パビナール中毒症《しょう》にかかる。『作品』に「雀《すずめ》こ」「玩具《がんぐ》」を発表。八月、第一回芥川賞候補に「逆行」があげられたが次席となる。九月、『文学界』に「猿ヶ島」、一〇月、『文芸春秋』に「ダス・ゲマイネ」、一一月、『帝大新聞』に「盗賊《とうぞく》」（「逆行」の一部）、一二月、『新潮』に「地球図」を発表。この間に随筆「もの思う葦《あし》」を『日本浪曼派』に八月号より連載した。田中英光との文通がはじまった。

昭和一一年（一九三六）　二七歳

一月、『新潮』に「めくら草紙」を発表。「もの思う葦」を諸誌に分散発表。『日本浪曼派』に「碧眼托鉢《へきがんたくはつ》」を一、二、三月号と連載した。二月、パビナール中毒症治療のため済生会芝《さいせいかいしば》病院に入院したが全治せぬまま退院。四月、『文芸雑誌』に「陰火《いんか》」を、五月、『若草』に「雌《めす》に就《つ》いて」、六月、最初の創作集「晩年」を砂子屋《すなごや》書房《しょぼう》より刊行した。七月、『文学界』に「虚構《きょこう》の春」を発表。期待していた第三回芥川賞に落ちたことを知ってショックを受けた。一〇月、「狂言《きょうげん》の神」を『東陽』、「喝采《かっさい》」を『若草』に発表。井伏鱒二のすすめに従って病患《びょうかん》治療のため板橋の東京武蔵野《むさしの》病院に入院し一月後に根治退院し、「二十世紀旗手」

「HUMAN LOST」を書く。

昭和一二年（一九三七）　二八歳

一月、『改造』に「二十世紀旗手」を発表。三月、初代と水上《みなかみ》温泉に行きカルモチン心中自殺を企て未遂に終った。帰京後初代と離別。六月、新潮社から「虚構の彷徨《ほうこう》、ダス・ゲマイネ」が刊行された。天沼一丁目に下宿生活。一〇月、「灯籠《とうろう》」を『若草』に発表す。

昭和一三年（一九三七）　二九歳

九月、「満願」を『文筆』に、一〇月、「姥《うば》捨《すて》」を『新潮』に発表。九月より山梨県河口村御坂峠《みさかとうげ》の天下茶屋に滞在し「火の鳥」を書く。一一月、下山し、甲府《こうふ》市西竪町《にしたつまち》に下宿す。随筆多し。

昭和一四年（一九三九）　三〇歳

一月、井伏鱒二夫妻の媒酌で石原美知子《みちこ》と結婚式をあげ、新居を甲府市御崎町に構えた。二月、「I can speak」を『若草』に、「富嶽《ふがく》百景」を『文体』に、四月、「女生徒」を『文学界』、「懶惰《らんだ》の歌留多」を『文芸』に発表。「黄金風景」で、国民新聞社短編小説コンクール賞をもらう。五月、書き下し創作集「愛と美について」が竹村書房から刊行された。六月、「葉桜と魔笛《まてき》」を『若草』に発表。先の賞金で夫人の母堂、妹らを加え、三保、修善寺、三島方面に家族旅行をした。七月、「女生徒」が砂子屋書房から刊行され、これによって第四回透《とう》谷《こく》文学賞副賞をもらう。「八十八夜」を『新潮』に発表。九月一日、かねて契約の東京府下三鷹《みたか》村下連雀《しもれんじゃく》一一三番地にうつった。一〇月、「美少女」を『月刊文章』に、「畜犬談」を『文学者』、「ア、秋」を『若草』に発表。「おしゃれ童子」を『婦人画報』、「デカダン抗議《こうぎ》」を『文芸世紀』、「皮膚《ひふ》と心」を『文学界』の各一一月号に所載《しょさい》。またこの年は随筆を多数発表した。

昭和一五年（一九四〇）　三一歳

新進作家としての地位も定まり作品の発表がふえた。「女の決闘《けっとう》」の連載（『月刊文章』）をはじめ、「俗《ぞく》天使」「鷗《かもめ》」「美しい兄たち」（のち「兄たち」と改題）「老《アルト》ハイデルベルヒ」等があり、創作集の単行本としては、「皮膚と心」（竹村書房）、「思い出」（人文書院）がこの年前半に刊行された。名作といわれる「駈込《かけこ》み訴《うった》え」「走れメロス」も発表された。また四月には井伏鱒二、伊馬鵜平らとの四万《しま》温泉行、七月には伊豆《いず》湯ケ野《ゆがの》温泉、熱川《あたがわ》温泉から谷津温泉に滞在中の井伏鱒二、亀井《かめい》勝一郎《かついちろう》を夫人とともに訪ねて水害に遭《あ》ったりした。講演を頼《たの》まれることも多く東京商大で「近代の病」と題して話し、新潟高等学校でも講演した。その帰途佐渡に遊んだ（一一月）。随筆も多く発表した。第一回阿佐谷会（中央線沿線在住文士の親睦会）に出席し、以後常連になった。

昭和一六年（一九四一）　三二歳

「東京八景」（『文学界』一月）をはじめ前年に続く充実ぶりを示した。「東京八景」は単行本としても実業之日本社から刊行（五月）された。懸案の長編「新ハムレット」は文芸春秋社（七月）から、「千代女」も筑摩書房（八月）から刊行された。家庭では六月七日、長女園子《そのこ》が誕生し、八月に北芳四郎氏のすすめによって一〇年ぶりに郷里金木町の生家を訪ねた。一一月、文士徴用を受けたが胸部疾患のため免除になった。

この年一二月八日、太平洋戦争に突入。

昭和一七年（一九四二）　三三歳

一月、限定版「駈込み訴え」を月曜荘《そう》から刊行。書き下し長編「正義と微笑」を二月から三月にかけて、甲府市外の湯村温泉、奥多《おくた》摩《ま》御《み》嶽《たけ》駅前の旅館で書きつぎ、六月、錦城《きんじょう》出版社から刊行された。また「風の便り」が「新郎《しんろう》」「誰」「畜犬談」「鷗」「猿面冠者」「律子と貞子」「地球図」を合わせて単行本として利《と》根《ね》書房から刊行された。創作集「老《アルト》ハイデルベルヒ」も竹村書房から、同じく「女性」も博文館《はくぶんかん》から出た。このころからしばしば点呼召集《しょうしゅう》にかり出される。一〇月、「花火」を『文芸』に発表、全文削除を命ぜられた（「花火」はのちに「日の出前」と改題）。母タ子重態のしらせを受け美知子と園子を伴って生家に帰る。「帰去来」を『八雲』に載せる。一一月、文藻集《ぶんそうしゅう》「信天翁《あほうどり》」が昭南書房から刊行。一二月一〇日、生母タ子死去（享年七〇歳）のため単独で帰郷。「禁酒の心」を『現代文学』に発表した。

昭和一八年（一九四三）　三四歳

一月、昭和名作選集の一冊として「富嶽百景」が新潮社から出るに際し、新たに「序」を書く。「黄村先生言行録」を『文学界』、「故郷」を『新潮』に発表。同月中旬、亡母三十五日法要のため妻子を伴って帰郷した。三月、甲府の夫人の実家と湯村温泉の明治屋にて、長編「右大臣実朝《さねとも》」を完成。

六月ごろ「花吹雪《ふぶき》」を『改造』に寄せたがついに不掲載に終った。九月、「右大臣実朝」錦城出版社から出る。一〇月、「作家の手帖」を『文庫』、「不審庵《ふしんあん》」を『文芸世紀』に発表。「雲雀《ひばり》の声」（二〇〇枚）を完成したが、検閲不許可のおそれのため小山書店と相談の上出版を見合わせた。

昭和一九年（一九四四）　三五歳

一月、「新釈諸国噺《しんしやくしよこくばなし》」（のち「裸川《はだかがわ》」と改題）を『新潮』、「佳日《かじつ》」を『改造』に発表。「佳日」の映画化の申し入れが東宝映画会社からあり、脚本家八木隆一郎《りゆういちろう》らと熱海山王《さんのう》ホテルにこもって脚色した。これは映画「四つの結婚」となり九月に封切られた。内閣情報局と日本文学報国会より、大東亜五大宣言の小説化の依頼を受け、魯迅《ろじん》の研究をはじめた。三月、「散華《さんげ》」を『新若人』、五月「雪の夜の話」を『少女の友』、「武家義理物語（新釈諸国噺）」（のち「義理」と改題）を『文芸』に発表する。小山書店の「新風土記叢書」のうち「津軽」を書くため、五月一二日東京を出発、六月五日帰京まで津軽地方を探訪した。この間に旅行先から、「奇縁《きえん》」を当時満州で発行されていた『満洲良男《ますらを》』に送ったが、消息不明になってしまった。「津軽」は七月に完成、一一月に小山書店から刊行された。八月一〇日、長男正樹誕生。単行本「佳日」が肇《はじめ》書房から出た。「貧の意地―新釈諸国噺―」など、新釈諸国噺の一連のものを発表した。一〇月から翌年三月まで、輪番による隣組長などをつとめ、在郷軍人会から一〇月一日、二一日、一一月一一日の暁天《ぎようてん》動員をうけた。先に出版を見合わせた「雲雀の声」は小山書店からいよいよ出版という間際に工場が空襲のために焼け烏有《うゆう》に帰した。後の「パンドラの匣《はこ》」はその時のゲラ刷をもとに書き直したものである。一二月二〇日、魯迅の仙台《せんだい》時代の事蹟《じせき》を踏査《とうさ》するため仙台に赴《おもむ》いた。なおこの年、小山初代が青島《チンタオ》で死んだという。

昭和二〇年（一九四五）　三六歳

一月、「新釈諸国噺」を生活社より刊行。「竹青」（漢訳）を『大東亜文学』に発表す。二月、魯迅伝記「惜別《せきべつ》」を書き上げ、九月に朝日新聞社から刊行された。三月、空襲警報下に「お伽《とぎ》草紙」を執筆す。三月末、妻子を甲府の夫人生家に疎開させた。四月二日未明、来訪中の田中英光、まえから同居していた小山清とともに空襲に遭い、爆撃によって家を破損された。一時吉祥寺の亀井勝一郎宅に避難し、留守を小山清にまかせて単身妻子の疎開先に向かった。甲府では甲運《こううん》村に疎開中の井伏鱒二、大江《おおえ》満雄《みつお》、『中部文学』の同人などとの交遊があった。しかし甲府も空襲の不安強く、五月下旬頃、市外千代田村に書籍その他の荷物を移した。七月七日未明、ついに甲府市も焼夷弾攻撃をうけ、石原家も全焼、甲府市新柳町六、山梨高工教授大内勇方に身を寄せた。二八日、妻子をつれ東京経由津軽の生家に向かう。三一日、金木町の生家に着いた。この間「お伽草紙」を完成。八月四日に田中英光の来訪をうけ、一五日終戦の詔勅《しょうちょく》を実家で聞いた。一〇月、『河北新報』に「パンドラの匣」の連載をはじめ、一二月に完結した。また「お伽草紙」は翌年一月に筑摩書房から刊行された。一一月、四姉きやう死去。

昭和二一年（一九四六）　三七歳

一月、「庭」を『新小説』、「親といふ二字」を『新風』に発表を皮切りに、戦後活躍の幕があがった。二月、「嘘《うそ》」を『新潮』、「貨幣」を『婦人朝日』創刊号、「やんぬる哉《かな》」を『月刊読売』、最初の戯曲「冬の花火」は三月完成、六月『展望』に発表された。この間四月には戦後最初の衆議院総選挙が行なわれ、長兄文治当選。「十五年間」を『文化展望』創刊号に発表した。芥川比《ひ》呂《ろ》志《し》が来訪。「新ハムレット」の思想座での上演許可を求めるためだった。「未《み》帰《き》還《かん》の友に」を『潮流』、六月、「苦悩の年鑑」を『新文芸』に発表。七月四日、祖母イシ死去（享年九十歳）。「チャンス」を『芸術』に発表。戯曲の第二作「春の枯葉」が『人間』に掲載された。一一月一二日、金木を出発、途中仙台一泊、一四日東京三鷹の自宅に着く。実に一年有半の郷里疎開生活であった。一〇月、「雀」を『思潮』、一一月、「たずねびと」を『東北文学』に発表。一二月、単行本「薄明」が新紀元社から刊行された。「親友交歓」を『新潮』、「男女同権」を『改造』に発表。同月、「冬の花火」が新生新派によって東劇で上演される予定であったが、マッカーサー司令部の意向により中止させられた。随筆は「政治家と家庭」「津軽地方とチェホフ」「海」「同じ星」等。

昭和二二年（一九四七）　三八歳

一月、「トカトントン」を『群像』、「メリイクリスマス」を『中央公論』に発表。「織田君の死」を東京新聞に載す。一二日、織田作之助の告別式に出席。二九日、これまで同居していた小山清が北海道夕張炭鉱へ渡るのを見送った。二月、田中英光の疎開先伊豆の三津浜《みとはま》に旅行。途中神奈川県下曾我に太田静子を訪ね、五日間滞在し、尾崎一雄を訪問す。三津浜安田屋旅館に三月上旬まで滞在し、「斜陽《しやよう》」の一、二章を書いた。「母」を『新潮』、「ヴィヨンの妻」を『展望』各三月号に発表。三月三〇日、次女里子が生まれた。「父」を『人間』四月号に、「女神」を『日本小説』五月創刊号、同じく六・七月号に「フォスフォレッスセンス」を発表。この春から山崎富栄《やまざきとみえ》と知り合う。六月末「斜陽」完結、『新潮』七月号から連載され一〇月号で終る。創作集「冬の花火」が中央公論社から、「ヴィヨンの妻」が筑摩書房からそれぞれ刊行された。九月、伊馬春部らと熱海に旅行す。一〇月、「おさん」を『改造』に、随筆「文学の曠野《こうや》に」（のち「わが半生を語る」と改題）を『小説新潮』、「小志」を一一月一七日付朝日新聞に出す。この秋、八雲書店から全集刊行の申し入れがあって、準備にはいった。一一月一二日、太田静子に女児生まれ、治子《はるこ》と名づけた。一二月、「斜陽」が新潮社から刊行された。

昭和二三年（一九四八）

一月、「犯人」を『中央公論』、「酒の追憶」を『地上』、「饗応《きようおう》夫人」を『光』、「かくめい」を『ろまねすく』に発表。二月、俳優座創作劇研究会の第一回公演として、「春の枯葉」が千田《せんだ》是也《これや》の演出により毎日ホールで上演された。三月、「太宰治随想集」が若草書房から出版され、「美男子と煙草《たばこ》」が『日本小説』、「眉山《びざん》」が『小説新潮』に発表された。また「如是我聞《によぜがもん》」（『新潮』三月号より連載）は文壇を驚かせた。三月七日から熱海市咲見《さきみ》町の起雲閣に滞在して「人間失格」に着手、「第二の手記」まで書き、四月、三鷹の仕事部屋にて書きつぎ、四月二九日から五月一二日まで大宮市大門町の小野沢方で完成す。発表は『展望』六月号に「第二の手記」まで、以後は死後の発表となる。「太宰治全集」第一回配本「虚構の彷徨」が八雲書店から刊行された。「渡り鳥」が『群像』、「女類」が『八雲』各四月号。五月、「桜桃《おうとう》」が『世界』に載った。五月中旬頃から『朝日新聞』に連載予定の「グッド・バイ」に着手し、下旬一〇回分までの草稿を渡した。このころ身体の疲労ひどくなり、しばしば喀血《かっけつ》した。六月号所載作品は、『展望』の前記「人間失格」の「第二の手記」まで、『新潮』の「如是我聞（三）」だけであった。六月一三日深更から一四日未明頃、山崎富栄とともに玉川上水に入水《じゅすい》し世を去る。降り続く雨の中を捜査が続けられ、一九日遺体発見、二一日、自宅において、葬儀委員長豊島与《とよしまよ》志雄《しお》、副委員長井伏鱒二にて告別式が行なわれた。七月一八日、三鷹町下連雀二九六、黄檗《おうばく》宗禅林寺に葬り、三十五日の法要を営んだ。

（小野才八郎編）

本書は『太宰治全集』（筑摩書房）を底本とし、旧字体を新字体に、旧仮名づかいを新仮名づかいに改めました。

（編集部）

人間《にんげん》失格《しつかく》・桜桃《おうとう》

太宰《だざい》 治《おさむ》

角川文庫 14732

平成元年四月十日 初版発行
平成十九年六月二十五日 改版初版発行
平成二十年五月十五日 改版三版発行

発行者—井上伸一郎
発行所—株式会社角川書店
東京都千代田区富士見二—十三—三
電話・編集 (〇三)三二三八—八五五五
〒一〇二—八〇七八
発売元—株式会社角川グループパブリッシング
東京都千代田区富士見二—十三—三
電話・営業 (〇三)三二三八—八五二一
〒一〇二—八一七七
http://www.kadokawa.co.jp
印刷所—暁印刷 製本所—BBC
装幀者—杉浦康平

落丁・乱丁本は角川グループ受注センター読者係にお送りください。送料は小社負担でお取り替えいたします。

Printed in Japan

定価はカバーに明記してあります。

た 1-5 ISBN978-4-04-109912-4 C0193

角川文庫発刊に際して

角川源義

第二次世界大戦の敗北は、軍事力の敗北であった以上に、私たちの若い文化力の敗退であった。私たちの文化が戦争に対して如何に無力であり、単なるあだ花に過ぎなかったかを、私たちは身を以て体験し痛感した。西洋近代文化の摂取にとって、明治以後八十年の歳月は決して短かすぎたとは言えない。にもかかわらず、近代文化の伝統を確立し、自由な批判と柔軟な良識に富む文化層として自らを形成することに私たちは失敗して来た。そしてこれは、各層への文化の普及滲透を任務とする出版人の責任でもあった。

一九四五年以来、私たちは再び振出しに戻り、第一歩から踏み出すことを余儀なくされた。これは大きな不幸ではあるが、反面、これまでの混沌・未熟・歪曲の中にあった我が国の文化に秩序と確たる基礎を齎らすためには絶好の機会でもある。角川書店は、このような祖国の文化的危機にあたり、微力をも顧みず再建の礎石たるべき抱負と決意とをもって出発したが、ここに創立以来の念願を果すべく角川文庫を発刊する。これまで刊行されたあらゆる全集叢書文庫類の長所と短所とを検討し、古今東西の不朽の典籍を、良心的編集のもとに、廉価に、そして書架にふさわしい美本として、多くのひとびとに提供しようとする。しかし私たちは徒らに百科全書的な知識のジレッタントを作ることを目的とせず、あくまで祖国の文化に秩序と再建への道を示し、この文庫を角川書店の栄ある事業として、今後永久に継続発展せしめ、学芸と教養との殿堂として大成せんことを期したい。多くの読書子の愛情ある忠言と支持とによって、この希望と抱負とを完遂せしめられんことを願う。

一九四九年五月三日

角川文庫ベストセラー

晩年　太宰治

作者は自分の生涯の唯一の遺書になる思いで「晩年」と名付けた——。「葉」「思い出」「魚服記」「列車」「地球図」他十点を収録。

女生徒　太宰治

昭和十二年から二十三年まで、作者の作家活動のほぼ全盛期にわたるいろいろな時期の心の投影色濃き女の物語集。

ろまん燈籠　太宰治

退屈になると家族が集まり〝物語〟の連作を始める入江家。個性的な兄妹の性格と、順々に語られる世界が響きあうユニークな家族小説。

走れメロス　太宰治

約束の日まで暴虐の王の元に戻らねば、身代りの親友が殺される。メロスよ走れ！　命を賭けた友情の美を描く名作。

津軽　太宰治

自己を見つめ、宿命の生地への思いを素直に綴り上げた紀行文であり、著者最高傑作とも言われる感動の一冊。

斜陽　太宰治

古い道徳とどこまでも争い、太陽のように生きる一人の女。昭和二十二年、死ぬ前年のこの作品は、太宰の名を決定的なものにした。

人間失格・桜桃　太宰治

太宰自身の苦悩を描く内的自叙伝「人間失格」、家族の幸福を願いながら、自らの手で崩壊させる苦悩を描いた絶筆「桜桃」を収録。

角川文庫ベストセラー

角川文庫ベストセラー

吾輩は猫である　夏目漱石

漱石の名を高らしめた代表作。苦沙弥先生に飼われる一匹の猫にたくして展開される痛烈な社会批判は、今日なお読者の心に爽快な共感を呼ぶ。

坊っちゃん　夏目漱石

江戸っ子の坊っちゃんが一本気な性格から、欺瞞にみちた社会に愛想をつかす。ロマンティックな稚気とユーモアは、清爽の気にみちている。

草枕・二百十日　夏目漱石

「草枕」は人間の事象を自然に対するのと同じ無私の眼で見る〝非人情〟の美学が説かれているロマンティシズムの極致である。

虞美人草　夏目漱石

「生か死か」という第一義の道にこそ人間の真の生き方があるという漱石独自のセオリーは、以後の漱石文学の方向である。

三四郎　夏目漱石

「無意識の偽善」という問題をめぐって愛さんとして愛を得ず、愛されんとして愛を得ない複雑な愛の心理を描く。

それから　夏目漱石

社会の掟に背いて友人の妻に恋慕をよせる主人公の苦悶。三角関係を通して追求したのは、分裂と破綻を約束された愛の運命というテーマであった。

門　夏目漱石

他人の犠牲で成立した宗助とお米の愛。それはやがて罪の苦しみにおそわれる。そこに真の意味の求道者としての漱石の面目がある。

角川文庫ベストセラー

天の瞳 少年編I
灰谷健次郎
ある日リエが学校に来なくなった。登校拒否の原因は何なのか、自分に何ができるのか、悩み抜いた倫太郎がとった行動とは……。シリーズ第三巻。

天の瞳 少年編II
灰谷健次郎
倫太郎が中学校の説明会をすっぽかし、入学式前から彼の名は学校中に知れ渡る。新しい環境の中で倫太郎らはどう変わるのか。シリーズ第四巻。

アメリカ嫌い
灰谷健次郎
子供、日本、島での暮らし、食べ物、教育……。灰谷健次郎が身の回りの出来事を通して、いま私たちに必要なことを説く待望のエッセイ集。

天の瞳 成長編I
灰谷健次郎
倫太郎の中学で四人の少年が検挙された。きちんとした対応をとれない学校側に、倫太郎たちは憤りを感じる。中学校の今を問う、シリーズ第五巻。

天の瞳 成長編II
灰谷健次郎
書店の経営を続けていたあんちゃんが倒れた。倫太郎たちは、あんちゃんにかわって営業を引き受ける。学ぶことの意味を問う、シリーズ第六巻。

天の瞳 あすなろ編I
灰谷健次郎
「あなたが罪にならないために、わたしはなにができますか」。学校での暴力事件に対して一人の女生徒がこんな言葉を発した。シリーズ第七巻。

天保悪党伝
藤沢周平
江戸天保年間、天保六花撰と謳われ、闇に生き、悪に駆る六人の男たちがいた。時代を痛快に生きた男たちの連作長編時代小説。